Kunst mit uns

Herausgegeben und bearbeitet
von Claudia Lutz und Verena Brunner

C.C.BUCHNER
Mildenberger

3/4

Kunst mit uns

Unterrichtswerk für Kunst in der Grundschule
Band 3/4

Herausgegeben und bearbeitet
von Claudia Lutz und Verena Brunner

1. Auflage, 1. Druck 2018

Alle Drucke dieser Auflage sind, weil untereinander unverändert, nebeneinander benutzbar.

Dieses Werk folgt der reformierten Rechtschreibung und Zeichensetzung. Ausnahmen bilden Texte, bei denen künstlerische, philologische oder lizenzrechtliche Gründe einer Änderung entgegenstehen.

Redaktion: Katja Heckes, Köln
Layout und Satz: PER MEDIEN & MARKETING GmbH, Braunschweig
Illustrationen: Bettina Kumpe, Braunschweig
Druck und Bindung: Brüder Glöckler GmbH, Wöllersdorf

www.ccbuchner.de
www.mildenberger-verlag.de

ISBN C.C.Buchner 978-3-661-**39812**-9
ISBN Mildenberger 978-3-619-**36210**-3

Inhalt

Schön, dass du mich noch einmal im Museum besuchst. Du wirst sehen, es gibt wieder viel zu entdecken.
Ich komme gerne mit!
Komm mit! Begleite mich auf einen weiteren Rundgang durch die Welt der Kunst.
MUSEUM
Erfahrungswelten
Visuelle Medien
Gestaltete Umwelt
Fantasiewelten
Bildende Kunst
Lexikon zur Kunst
A-Z
A-Z

Wie arbeite ich
mit dem Buch?
Diese Zeichen helfen dir!
Hier musst du genau hinschauen.
Achte auf Kleinigkeiten!
Was fällt dir dazu ein?
Erzähle!
Besprich dich mit anderen!
Nun darfst du gestalten!
Präsentiere dein Ergebnis!
Wir sprechen über die Ergebnisse.
wahrnehmen
kommunizieren
präsentieren
imaginieren und
verbalisieren
gestalten
analysieren,
deuten, werten

F. VALLOTTON.11

1

Ist das gemalt
oder fotografiert?
Das ist gemalte
Wirklichkeit!

1

2

Solche Darstellungen gibt es häufig in der Kunst, man nennt sie Stillleben.

Vergleiche die Bilder miteinander. Finde heraus, was sie gemeinsam haben.

Wieso nennt man solche Darstellungen Stillleben? Tauscht euch über eure Vermutungen aus.

Der Künstler Paul Cézanne hat viele Stillleben gemalt. So sah es vor 150 Jahren in seinem Atelier aus.

1

2

Sieh dich in Paul Cézannes Atelier genau um.
Finde heraus, welches Stillleben auf Seite 10 von ihm ist. Begründe deine Entscheidung.

Um die Dinge so wirklichkeitsgetreu darzustellen, musste Cézanne auf die Details achten.

1

2

3

4

Vergleiche das fotografierte Stillleben mit den Ausschnitten aus dem Cézanne Gemälde (Abb. 2, Seite 10).

Auf welche Details hat der Maler besonders Wert gelegt. Beschreibe sie genau.

Künstler wenden Tricks an, damit die dargestellten Gegenstände möglichst naturgetreu wirken.

Mein Tipp: Achte auf die Oberflächen. Licht und Schatten lassen die Gegenstände wie echt wirken.

1

Schau dir verschiedene Gegenstände genau an. Untersuche die Oberflächenbeschaffenheit. Beschreibe sie mit passenden Begriffen.

Wie lassen sich verschiedene Oberflächen darstellen? Erstellt Skizzen. Achtet auch auf Licht und Schatten. Tauscht euch über die Entwürfe aus und gebt euch gegenseitig Tipps.

Damit geht's: Stillleben gestalten

1

2

3

4

Es geht auch hell auf dunkel oder farbig.

Wenn du beim Zeichnen die Linien eng aneinandersetzt, heißt das schraffieren.

5

Suche dir einen Gegenstand aus und stelle ihn mit verschiedenen Arbeitsmitteln dar.

Tausche dich über deine Erfahrungen aus. Begründe, welche Art dir am besten gefällt.

Welche Seite liegt im Schatten? Mein Tipp: Beleuchte deine Gegenstände.

Bringe Gegenstände mit und stelle sie vor dir auf.
Suche dir verschiedene Arbeitsmittel aus und gestalte damit ein Stillleben.

Präsentiert eure Stillleben zusammen mit den Gegenständen. Habt ihr sie gut getroffen?
Gebt euch gegenseitig Rückmeldung.

Jetzt weiß ich schon viel mehr!

- *Ein Stillleben ist die Abbildung von Gegenständen.*
- *Wenn ich Dinge in meiner Umgebung genau betrachte, kann ich ihre typischen Eigenschaften beschreiben.*
- *Ich kann unterschiedliche Oberflächen von Gegenständen in meinem Bild darstellen.*
- *Wenn ich auf Licht und Schatten achte, kann ich die Gegenstände naturgetreuer wiedergeben.*
- *Ein Stillleben wird interessanter, wenn die Gegenstände Überschneidungen zeigen.*

1

Beschreibe, welches Material der Künstler Martin Roller für sein Stillleben (Abb. 1) verwendet hat.

Gestaltet ein Stillleben aus ungewöhnlichem Material und fotografiert es.

1

Mit einem Foto lassen sich unsere Sinne leicht täuschen.

1

2

Manchmal entscheidet der Aufnahmewinkel darüber, wie wir ein Bild wahrnehmen …

Wie wurden die Türme fotografiert, damit sie unterschiedlich groß wirken?

Sucht euch zwei gleich große Gegenstände, baut sie wie in Foto 2 auf. Macht ein Foto und bespricht das Ergebnis.

1

2

3

4

5

Den schiefen Turm von Pisa abstützen oder mit dem Mond spielen.
Erklärt, wie die Szenen fotografiert wurden.

Vergleicht die beiden Wege miteinander. Sind sie gleich? Begründet eure Vermutung.

Damit geht's: Fotokamera

1

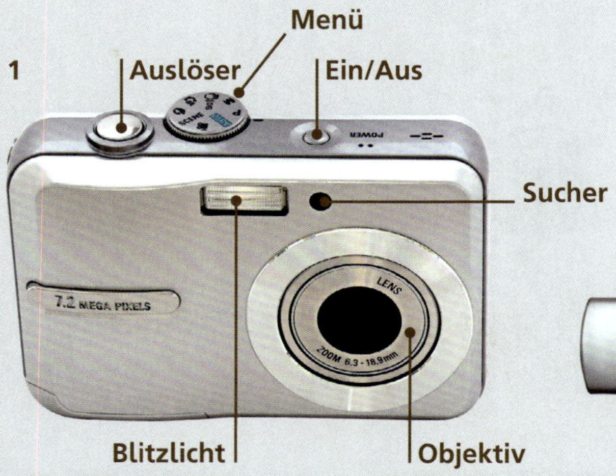

2

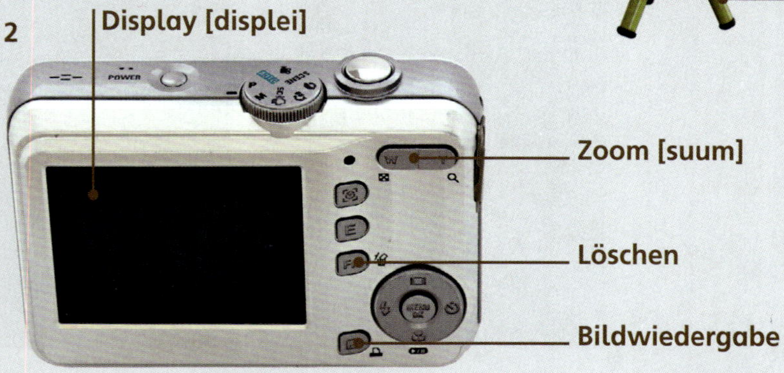

3

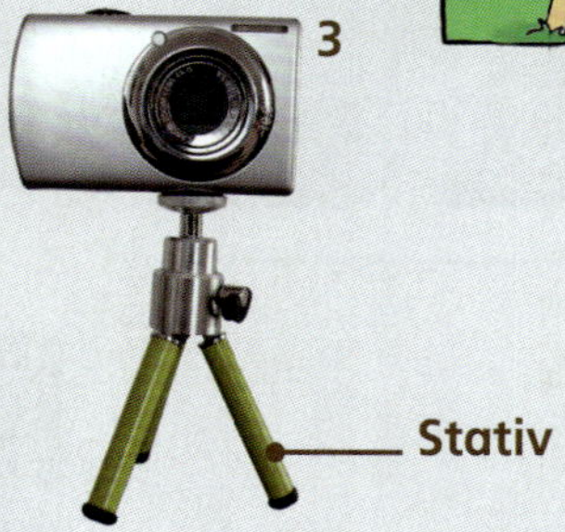

Seht euch die Digitalkamera noch einmal genau an. Wiederholt, wozu ihr die einzelnen Teile benötigt und wie ihr sie zum Fotografieren einsetzen könnt.

1

2

Moderne Digitalkameras haben einen Autofokus. Wenn du leicht auf den Auslöser drückst, wird das Motiv automatisch scharf gestellt.

Probiert den Autofokus an eurer Kamera aus. Sucht dazu ein Motiv und fotografiert es so, dass einmal der Vordergrund und einmal der Hintergrund scharf erscheint.

Ungewöhnliche Blickwinkel

Die Perspektive oder der Blickwinkel spielen bei einem Foto eine wichtige Rolle.

1

3

2

4

Frosch- oder Vogelperspektive, erkläre die Fachbegriffe und ordne die Fotos richtig zu.

Ein Tag aus der Sicht einer Ameise! Gestalte eine eigene Bildreihe dazu.

Manchmal kommt es auf die Beleuchtung an.

Motiv im Gegenlicht

Motiv im Licht

Mein Tipp: Wenn es zu dunkel ist, fotografiere mit Blitz.

1

2

3

4

Worin unterscheiden sich Foto 1 und 2? Ordne die Wortkarten richtig zu.

Erkläre, wo die Sonne stand, als diese Fotos aufgenommen wurden.

Welches Bild findest du interessanter? Begründe deine Entscheidung.

Fotografiert ein Motiv im Licht und Gegenlicht.

Vergleicht Foto 3 und 4. Fotografiert selbst mit und ohne Blitz. Tauscht eure Erfahrungen aus.

Nun bist du an der Reihe!

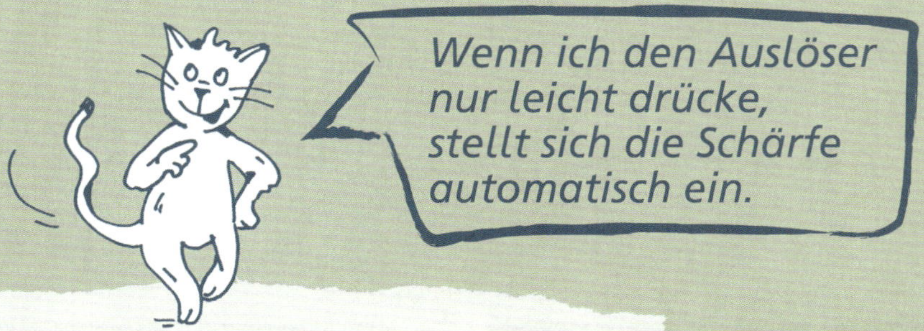

Optische Täuschung oder ungewöhnliche Perspektive?
Überlege, was für ein Foto du machen möchtest und setze deine Idee um.
Präsentiere dein Ergebnis.
Worauf musstest du beim Fotografieren achten? Tausche deine Erfahrungen aus.

Es gibt Künstler, die mit ihren Fotos Geschichten erzählen. Man nennt dies auch Inszenierung.

1

Was erzählt dir dieses Foto? Erfinde eine Geschichte dazu und stelle sie vor.

Beschreibe, welche Gegenstände der Künstler Slinkachu für sein Foto verwendet hat. Weshalb wirkt das Foto so besonders? Tausche dich mit deinem Partner aus.

So geht's: Fotogeschichten

Wenn wir nur einen Ausschnitt sehen, bekommt ein Foto manchmal eine andere Bedeutung.

Stimmt! Um das Foto richtig zu deuten, muss ich das ganze Bild sehen!

2

3

Erkläre, welche Rolle die Kameraposition und der Hintergrund für das Foto spielen.
Verändert sich die Stimmung im Bild, wenn du das ganze Foto siehst? Begründe deine Meinung.

Einzelaufnahme oder Fotoroman – es gibt verschiedene Möglichkeiten, ein Motiv in Szene zu setzen.

Bringe eigene Spielfiguren mit und fotografiere sie so, dass sie lebensgroß erscheinen. Du kannst auch mit mehreren Fotos eine ganze Geschichte erzählen.

Präsentiert eure Ergebnisse und tauscht eure Erfahrungen aus.

Jetzt weiß ich schon viel mehr!

An Computer und Tablet kannst du mehrere Fotos zu einem Trickfilm zusammenstellen oder ein Fotobuch gestalten.

- *Unsere Sinne lassen sich mit einem Foto manchmal täuschen.*
- *Standpunkt, Aufnahmewinkel oder Perspektive entscheiden darüber, wie ein Foto später wirkt.*
- *Ich kann einer Fotoszene eine andere Bedeutung geben, wenn ich nur einen Ausschnitt zeige.*

Es gibt auch Apps (sprich: Äpps), mit denen ich Comics oder eBooks (sprich: I-bucks) gestalten kann.

Informiert euch über aktuelle Computerprogramme oder Apps, mit denen ihr Trickfilme oder Fotobücher erstellen könnt.

Tauscht euch darüber aus und probiert es selbst aus.

1

Schulen gibt es überall auf der Welt. Sie sehen verschieden aus und haben doch viel gemeinsam.

1

2

3

4

Beschreibe, was ein Gebäude braucht, um als Schule genutzt werden zu können.

Macht einen Rundgang und erkundet eure Schule.
Welche verschiedenen Räume gibt es und wie werden sie genutzt?
Macht euch Notizen dazu und tauscht euch untereinander aus.

Eine Schule ist oft nur ein zweckmäßiges Gebäude. Dem Künstler Friedensreich Hundertwasser gefiel dies nicht.

1

2

Betrachte die Schule vor und nach dem Umbau durch den Künstler Friedensreich Hundertwasser und beschreibe, wie sie sich verändert hat.

Suche dir eines der beiden Gebäude aus, wie wirkt es auf dich? Sammle passende Begriffe, mit denen du die Wirkung genau beschreiben kannst. Finde heraus, was mit dem Begriff „zweckmäßig" gemeint ist und erkläre ihn.

So geht's: Gebäude beschreiben

1

2

mächtig

einfach

klein

geschmückt

prunkvoll

groß

bescheiden

Ähnliche Gebäude und Räume mit unterschiedlicher Wirkung!

3

4

Vergleiche die Bildpaare miteinander.

Wähle aus den Vorschlägen passende Adjektive aus und ordne sie den Bildern zu.

Finde weitere Begriffe, um die Wirkung von Gebäuden und Räumen zu beschreiben.

Nun bist du an der Reihe!

Schlicht oder verziert – wie soll dein Haus aussehen?

Mein Tipp: Male die Verpackungen vorher mit weißer Farbe an!

Finde weitere Beispiele für einfache oder prunkvolle Gebäude.
Sieh dich dafür in deiner Umgebung um oder nutze Bücher und das Internet.

Gestalte dein eigenes Fantasiehaus aus Verpackungsmaterialien.
Sei selbst Baumeister und entscheide: schlicht oder verziert!

Innenräume und ihre Wirkung

1

2

3

4

Vermute, welche Räume hier abgebildet sind.
Beschreibe einem Partner, wie die verschiedenen Räume auf dich wirken. Vergleicht eure Eindrücke. Welche Stimmungen erzeugen Farben? Welche Rolle spielt das Material oder die Wandgestaltung für einen Raum?

Nun bist du an der Reihe!

Überlegt, wann oder wozu man Räume verändert und tauscht euch darüber aus.

Sucht euch ein gemeinsames Thema passend zur Jahreszeit oder zu einem Projekt.

Plant gemeinsam, wie ihr euren Raum ausgestalten oder verändern wollt und setzt die Idee um.

Jetzt weiß ich schon viel mehr!

Modern oder alt – Fenster haben bei der Gestaltung von Räumen eine wichtige Funktion. Manche erzählen sogar Geschichten.

1

- *Ähnliche Gebäudetypen oder Räume können unterschiedlich wirken.*
- *Die Farben, die Wandgestaltung oder das Material beeinflussen die Wirkung von Gebäuden und Räumen.*
- *Mit passenden Begriffen kann ich sie treffend beschreiben.*

2

3

Sieh dich in deiner Umgebung um. Wo gibt es besonders gestaltete Fenster? Welche Geschichte erzählen sie?

Friedensreich Hundertwasser forderte für seine Gebäude ein „Fensterrecht“. Informiere dich, was das bedeutet und tausche dich darüber aus.

Gestaltet ein Fenster bei euch in der Schule. Welche Geschichte möchtet ihr erzählen?

1

2

Haben da zwei Künstler voneinander abgeschaut?
Nein, aber sie kennen die gleiche Geschichte!

Geschichten regen zu Bildern an

Viele Völker haben ihre Sagen und Legenden mithilfe von Bildern weitererzählt.

1

2

Das ist die Erschaffung der Welt durch die Regenbogenschlange. Diese Legende erzählen sich die Aborigines. So heißen die Ureinwohner Australiens.

Informiere dich über die Aborigines und ihre Geschichte der Regenbogenschlange.

Finde auch Sagen und Legenden aus anderen Ländern.

Was ist das Besondere an Sagen und Legenden?

Oft kommen in Sagen und Legenden seltsame Wesen vor. Man nennt sie Fabelwesen. Die Fabelwesen haben einige Künstler zu Bildern angeregt.

1

Suche dir ein Fabelwesen aus dem Bild aus und beschreibe es deinem Partner möglichst genau.
Verwende dafür viele treffende Begriffe.
Was unterscheidet dein Wesen von einem echten Tier?

Stellt euch vor, eines der Fabelwesen würde euch begegnen.
Erfindet eine Geschichte dazu.

Damit geht's: Bildhintergrund gestalten

Fantastische Wesen leben in fantastischen Welten. Mit dem passenden Hintergund kannst du das Bild interessanter gestalten.

1

2

3

4

5

Welches Material wurde hier verwendet und wie wurde es eingesetzt?
Stellt einen eigenen Materialtisch zusammen.

Im Wasser, auf der Erde oder in der Luft: Überlegt, in welcher Landschaft euer Fabelwesen leben soll.
Experimentiert mit verschiedenen Materialien oder kombiniert Techniken für euren Hintergrund.

Mein Tipp: Schreibe eine Geschichte, die von deinem Fabelwesen erzählt, und stelle sie vor.

Erfinde ein eigenes Fantasiewesen. Beachte dabei Details wie Fell, Haut oder Farben. Mache eine Skizze davon. Wähle geeignetes Arbeitsmaterial aus und setze deine Idee als Bild oder Figur um.

Präsentiert euch die Ergebnisse.

Manche Geschichten leben von ihren Bildern. Deshalb gibt es eine besondere Sorte Bücher – Bilderbücher.

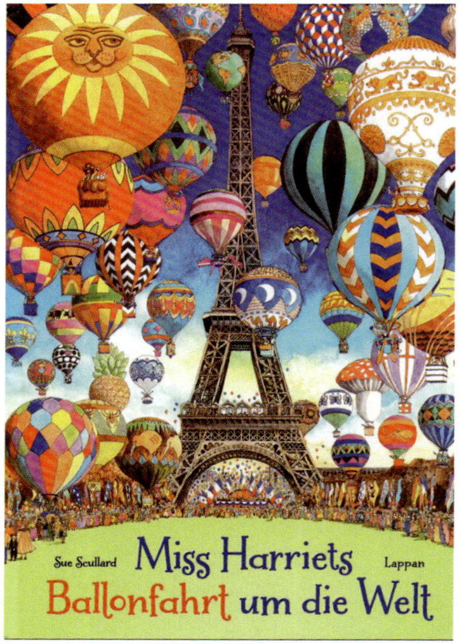

1

Auch das ist eine Geschichte. Sie steht in einem Bilderbuch. Ballonfahrer machen sich auf den Weg zu einer Wettfahrt, die sie rund um die Welt führt. Sie erleben viele Abenteuer, sehen atemberaubende Landschaften und großartige Bauwerke.

Bringe dein Lieblingsbilderbuch mit und stelle es der Klasse vor.

Findest du in einem der Bücher Anregungen zum Weiterarbeiten?

1

dramatisch

träumerisch

harmonisch

alltäglich

wild

futuristisch

2

Wie wirken die verschiedenen Bilder auf dich? Die Adjektive können dir helfen.
Welches Bild gefällt dir am besten? Begründe!

Welche Motive entdeckst du auf den Bildern? Welche Orte werden hier gezeigt? Worin unterscheiden sie sich? Achte auf Überschneidungen, Oberflächenbeschaffenheiten und verschiedene Farbtöne.

So geht's: Bildraum und Farbkontraste beschreiben

Betrachte ich den Vordergrund, die Mitte und den Hintergrund in einem Bild, wirkt es räumlich. Wir sprechen von Bildraum.

Auch Farben bestimmen die Wirkung im Bild.

1

2

„Was ist wo?"-Rätsel: Nenne deinem Partner ein Motiv aus einem der Bilder. Wo im Bildraum befindet es sich? Beschreibt die Farbkontraste – kalt oder warm? Ändert sich die Bildwirkung, wenn ihr die Farbe der beiden Bilder vertauscht?

Nun bist du an der Reihe!

Gegenwart oder Zukunft – wild oder träumerisch? Wohin führt dich deine Reise?

Überlege dir, wie die Landschaft oder die Stadt auf deiner Reise aussehen soll. Welche Wirkung möchtest du erzielen? Gestalte dein Bild mit passenden Farben.
Denke daran, Überschneidungen, Oberflächen und verschiedene Farbtöne machen ein Bild interessanter. Setze deine Ideen um.

Jetzt weiß ich schon viel mehr!

- *Früher haben verschiedene Völker Sagen und Legenden mithilfe von Bildern weitererzählt.*
- *In vielen Kulturen gab es Fabelwesen. Sie haben die Fantasie der Menschen zu Bildern angeregt.*
- *Die Wirkung in einem Bild wird oft unterschiedlich wahrgenommen. Ich kann sie mit treffenden Wörtern beschreiben.*
- *Durch Farben oder Überschneidungen kann ich eine interessante Stimmung in einem Bild schaffen.*
- *Ein Bildraum unterteilt sich in Vordergrund, Mitte und Hintergrund.*

1

2

Viele Menschen machen sich Gedanken über die Zukunft.

3

Wie stellst du dir die Welt in 2000 Jahren vor? Tausche dich darüber aus.

Es gibt Künstler, die „fotografieren“ mit dem Pinsel. Einer von ihnen war Claude Monet.

1

Wer war Claude Monet?

- Claude Monet (sprich: Clood Mo-neh) wurde 1840 in Paris geboren.
- Seine Familie nannte ihn Oscar, das war nämlich sein erster Vorname.
- Seine impressionistischen Bilder machten ihn berühmt.

1

2

- *Monet verließ zum Malen das Atelier und arbeitete im Freien.*
- *Das war zu dieser Zeit etwas ganz Neues.*
- *Am liebsten malte er die Natur, vor allem Wasser und Blumen.*

- Impressionisten liebten das Licht. Sie hielten sich nicht mit Details auf und versuchten, eine Stimmung durch einen schnellen Farbauftrag festzuhalten.
- Die Künstler verwendeten Farben aus der Tube, die sie oft direkt auf der Leinwand gemischt haben.
- Das Bild „Impression, Sonnenaufgang“ (Abb. 3) gab der Stilrichtung den Namen.

3

1

2

3

Eine Stimmung, einen Eindruck, eine Impression fingen die Künstler früher malerisch ein. Deshalb hieß die Kunstrichtung auch Impressionismus.

Beschreibe die Stimmungen, die hier eingefangen wurden. Achte besonders auf die Farbkontraste.
Vermute, welche Tages- oder Jahreszeiten hier gemalt worden sind.
Begründe, woran du das erkannt hast.

So geht's: Farben beschreiben

blassrosa
froschgrün
rotbraun
mausgrau
sonnengelb

Deine Umwelt ist voller Farben. Mit passenden Worten kannst du sie beschreiben.

babyblau
ampelgrün
kirschrot

1

Erforscht die Farben in eurer Umgebung.

Sammelt Wörter, mit denen ihr sie möglichst genau beschreiben könnt. Stellt eine Wortsammlung zu diesen Farben zusammen und präsentiert sie.

Damit geht's: Der Farbkreis

In der Mitte sind die Grundfarben oder Primärfarben. Wenn du sie miteinander mischst, bekommst du neue Farben. Man nennt sie Sekundärfarben.

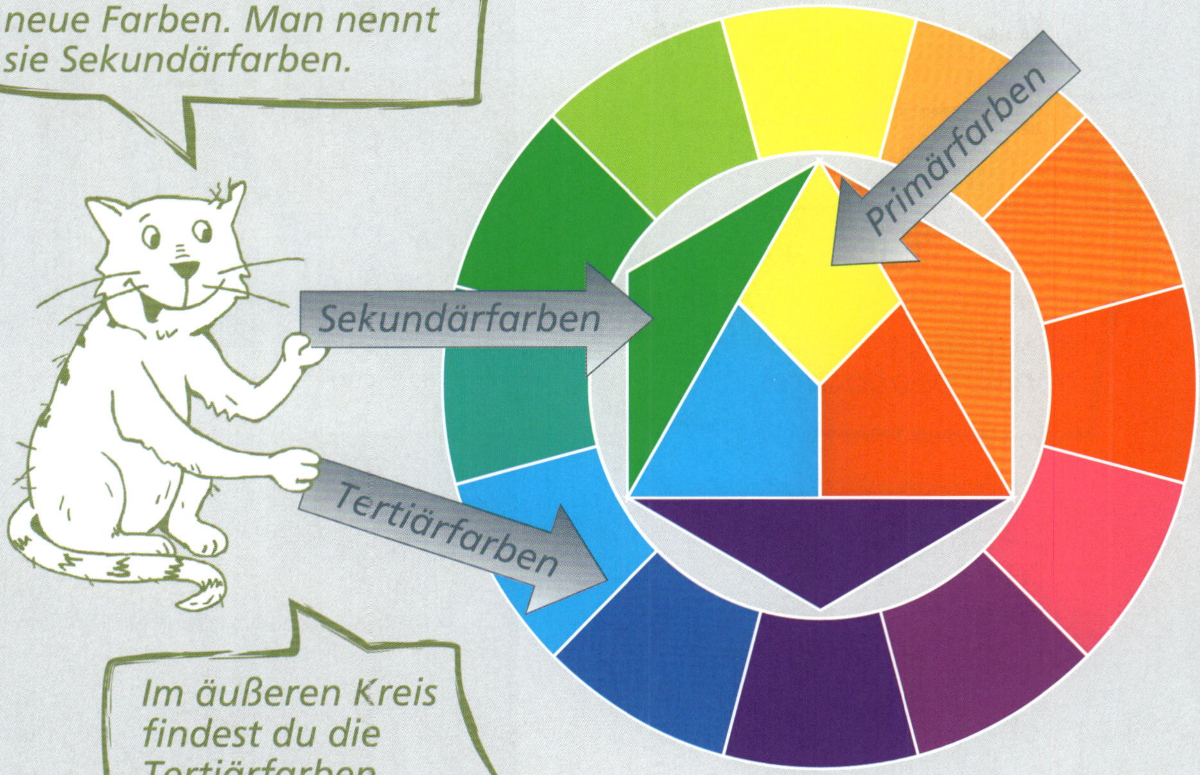

Mein Tipp: Mit einem Farbkreisel kannst du Farben auch im Auge mischen.

Im äußeren Kreis findest du die Tertiärfarben.

Sieh dir den Farbkreis genau an. Was musst du tun, um die Farben im äußeren Kreis zu erhalten? Probiere es aus. Welche Farben fehlen?

Teile ein rundes Blatt gleichmäßig in „Pizzastücke" ein. Wähle zwei Grundfarben aus und gestalte damit einen Farbkreisel.

2

1

3

Ist der Schnee wirklich immer weiß? Welche Farben kannst du auf den Fotos entdecken?

Zeichnet mehrere Skizzen von einer Schneelandschaft. Gestaltet die Skizzen dann mit verschiedenen Schneefarben aus. Vergleicht die unterschiedlichen Stimmungen in euren Bildern.

Sucht euch ein Motiv in eurer Schulumgebung für ein Jahreszeitenprojekt aus.
Fangt die unterschiedlichen Stimmungen mit einem Bild oder mit der Fotokamera ein. Gestaltet einen Bilderzyklus dazu. Achtet dabei auf die unterschiedlichen Farbwirkungen der Jahreszeiten.

Immer wieder suchen Künstler nach neuen Ausdrucksformen. Einer davon war Jackson Pollock.

Was macht der Künstler da?

Er macht gerade eines seiner berühmten Drip Paintings!

1

Sieh dir das Foto genau an und beschreibe, wie Jackson Pollock gearbeitet hat. Wieso heißt diese Technik Drip Painting? Informiere dich.

- Jackson Pollock wurde 1912 in Wyoming geboren. Das ist im Westen der USA.
- Er ist der Erfinder der Aktionsmalerei, auf Englisch heißt das Action Painting.

- Viele Leute meinten, dass so eine „Kleckserei“ keine Kunst sei.
- Trotzdem machte ihn aber genau diese Maltechnik berühmt.

1

- Jackson Pollock tropfte und schleuderte die Farbe direkt auf die Leinwand.
- Manchmal verwendete er dazu Farbdosen mit Löchern im Boden.
- Diese Technik nennt man Drip Painting.
- Weil die Ergebnisse nicht planbar sind, spricht man bei dieser Maltechnik auch vom Zufallsverfahren.

Das ist der Künstler Jackson Pollock. Sein Spitzname war „Jack the dripper“.

1

2

Jackson Pollock war bei seinen Bildern nicht an einem bestimmten Motiv interessiert. Die Aktion selbst war ihm wichtig. Er wollte Farbspuren und Formen entstehen lassen.

Action Paintings können sehr vielfältig sein. Untersuche die Bilder genau. Welches Material hat Jackson Pollock verwendet? Wie hat er es eingesetzt? Tauscht euch untereinander aus.

Damit geht's: Aktionskunst

Es gibt viele unterschiedliche Möglichkeiten, Aktionsbilder zu gestalten. Alle haben etwas gemeinsam: Das Ergebnis ist zufällig.

1

3

2

4

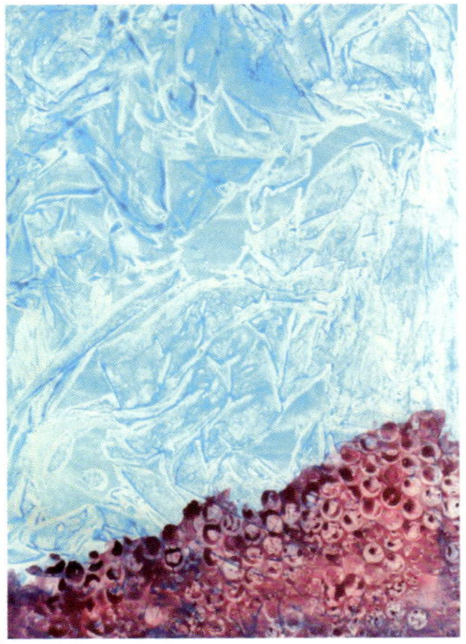

5

Auf Abbildung 4 siehst du, welches Material die Kinder für ihre Bilder verwendet haben. Ordne es zu und begründe deine Entscheidung.

So geht's: Aktionskunst

Du kannst Wasserfarbe auf eine Folie auftragen und ein Papier auflegen …

1

2

… oder umgekehrt.

Es geht auch direkt aus der Flasche auf das Papier…

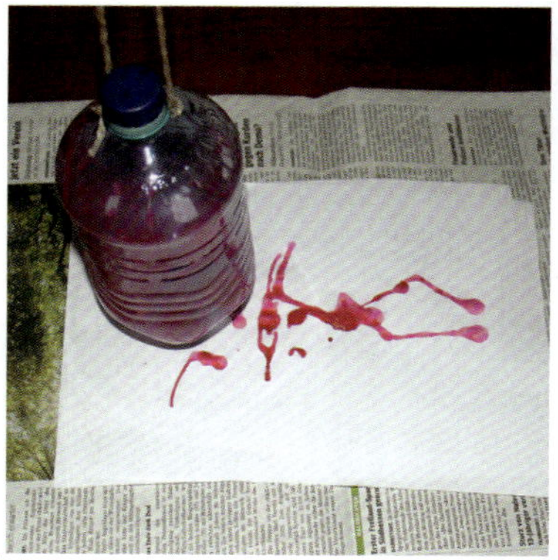

3

… oder mit Filzstift und Wasser.

4

Probiere die verschiedenen Zufallsverfahren aus.
Vergleiche die Ergebnisse mit den Bildern auf Seite 57.

Überlegt euch eine eigene Aktion! Macht Fotos oder filmt euch, während ihr arbeitet.
Plant eine Ausstellung und präsentiert anderen eure Ergebnisse.

Jetzt weiß ich schon viel mehr!

- *Je nach Jahres- oder Tageszeit kann ich unterschiedliche Stimmungen in der Natur wahrnehmen.*
- *Die Impressionisten haben versucht, einen besonderen Eindruck im Bild festzuhalten. Dafür mussten sie schnell arbeiten.*
- *Die Aktionsmalerei ist ein besonderes Verfahren zur Gestaltung von Bildern.*
- *Wenn mein Ergebnis beim Gestalten nicht planbar ist, nenne ich es Zufallsverfahren.*

Hast du dir schon einmal überlegt, wie ein Bild außerhalb des Rahmens weitergehen könnte?

1

Stelle dir vor, du könntest in ein Bild eintauchen. Was würdest du dort erleben? Schreibe es auf!

Besucht eine Kunstausstellung. In welches Kunstwerk würdest du gern einmal eintauchen? Begründe!

3. STOCKWERK
Das habe ich dieses Mal erfahren.
Komm mit – ins 4. Stockwerk!
Ich kann Gegenstände zu einem Stillleben zusammenstellen.
Perspektive und Ausschnitt sind entscheidend für die Wirkung eines Fotos.
Ähnliche Gebäude können je nach Farbe und Material unterschiedlich wirken.
Mit bestimmten Farben und dem Farbauftag kann ich Stimmungen in der Natur ausdrücken.
Bei einem Zufallsverfahren ist das Ergebnis nicht planbar.
Viele Künstler kann ich an ihrer Arbeitsweise oder ihrer Bildsprache wiedererkennen.

4. STOCKWERK
Wie male ich Licht und Schatten?
Kann ich mit Licht malen …
… oder mit dem Pinsel fotografieren?
Was macht ein Verpackungskünstler?
Was ist „Pop Art"?
Es gibt noch sehr viel zu entdecken! Möchtest du mich weiter begleiten?
Das klingt interessant! Ich möchte am liebsten gleich nach oben gehen.

1

Menschen waren in allen Epochen ein beliebtes Motiv in der Kunst.

1

2

3

4

Beschreibe, wie sich die Darstellung der Menschen in Bildern verändert hat. Beachte, wie sie dargestellt wurden.

1

3

2

Vermutet, aus welchen Ländern die Kunstwerke stammen. Begründet eure Entscheidung.
Was erfährst du über das Land, die Leute und ihre Kultur? Tauscht euch untereinander aus.

So geht's: Menschen darstellen

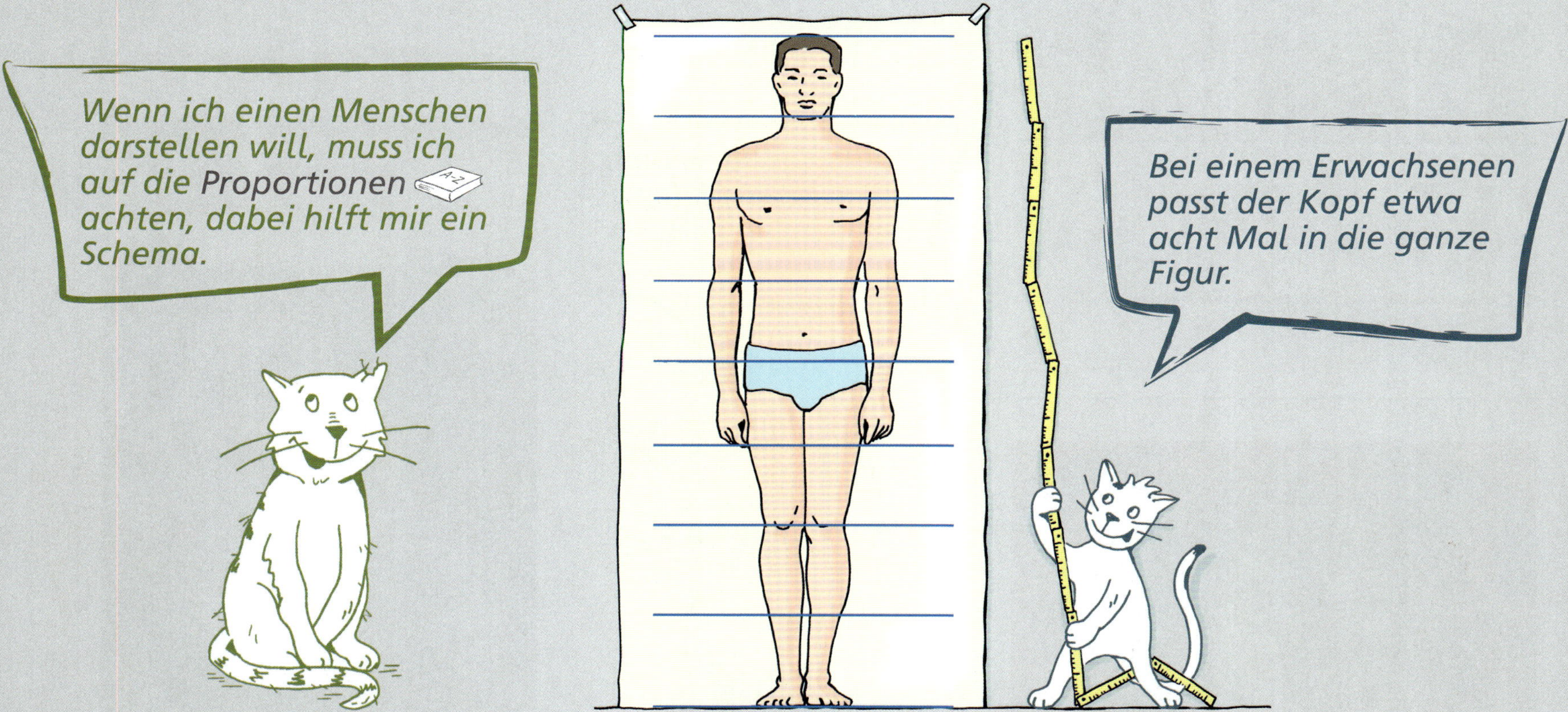

Ist die Aussage des kleinen Katers richtig? Überprüfe sie mit dem Schema.

Untersucht, nach welchem Schema sich euer Körper einteilen lässt. Stellt euch zu zweit gegenüber auf und beobachtet genau. Bis wohin reichen die Arme? Wie breit sind die Schultern? Messt nach, wo die Mitte des Körpers ist.

Versuche nun, deinen Partner in einer Skizze möglichst genau zu zeichnen. Ist deine Skizze gelungen? Gebt euch gegenseitig Tipps!

Ein ganz persönliches Bild von mir: Das bin ich, das macht mich aus.

Beschreibt euch mit einem ganz besonderen Bild: Bestimmt ein Kind aus eurer Gruppe und fertigt von ihm eine Umrisszeichnung an.
Füllt den Umriss mit Worten, Bildern und Farben, die zu diesem Kind passen.
Wem gehört der Umriss? Sprecht darüber, woran ihr das Kind erkannt habt.
Ergänzt das Bild wenn nötig.

Jetzt weiß ich schon viel mehr!

1

2

- *Menschen wurden in unterschiedlichen Epochen verschieden dargestellt.*
- *Manchmal kann ich die Kultur des Landes in einem Kunstwerk entdecken.*
- *Um die Proportionen eines Körpers richtig darzustellen, brauche ich ein Schema.*

Menschen in Bewegung darzustellen, ist nicht einfach.

3

„Lebende Statuen A–Z“: Nimm eine besondere Körperhaltung ein und versuche, sie eine Zeit lang zu halten. Lass dich dabei von deinem Partner fotografieren.

Man braucht nicht immer Pinsel und Leinwand, um Bilder zu gestalten.
Der Künstler Pablo Picasso zeigt hier eine besondere Technik.

1

Damit geht's: Malen mit Licht

Du brauchst eine Digitalkamera, bei der du die Belichtungszeit einstellen kannst, ein Stativ und einen abgedunkelten Raum.

1

2

3

Mein Tipp: Stelle die Belichtungszeit deiner Kamera auf 8 Sekunden ein.

Sieh dir die Lichtspuren genau an und überlege, womit „gemalt" wurde. Begründe deine Entscheidung.

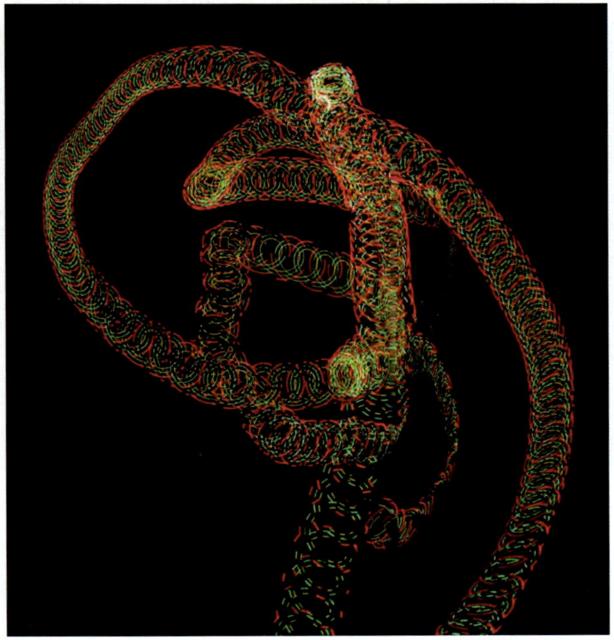

1

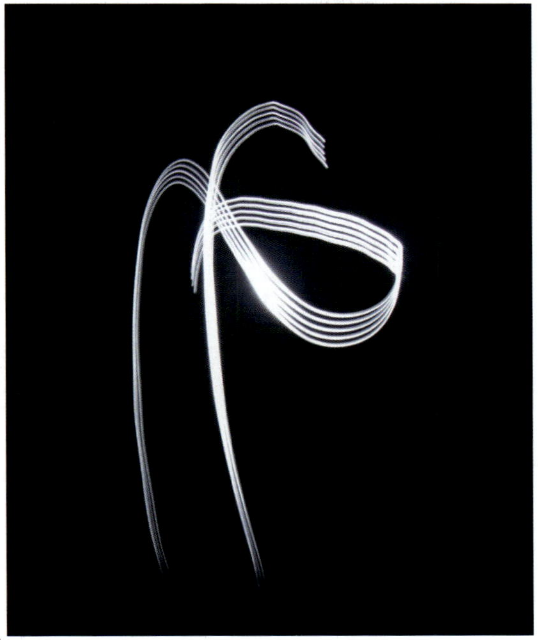

2

So geht's: Malen mit Licht

Ein Storyboard hilft bei der Planung.

Je länger die Belichtungszeit ist, desto mehr Zeit habt ihr beim Malen.

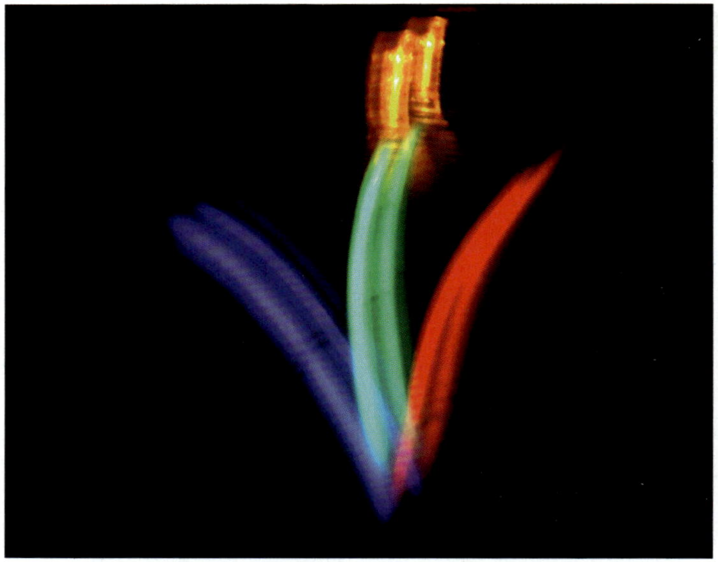

1

Mein Tipp:
Arbeitet im Team! Einer von euch bedient den Lichtschalter, ein anderer malt und einer drückt den Auslöser.

Wählt einen Raum aus, den ihr verdunkeln könnt. Befestigt die Digitalkamera am Stativ, schaltet den Blitz aus und stellt im Menü die Langzeitbelichtung ein.
Probiert verschiedene Lichter und Belichtungszeiten aus. Achtet auf die Tipps der Kater!

So geht's: Malen mit Licht

1

2

Wenn eine Person sichtbar sein soll, musst du etwas Licht in den Raum lassen.

Schalte das Licht ein und aus, um einzelne Punkte und Linien zu malen.

3

Wenn du einen Text schreibst, erscheint er spiegelverkehrt. Du musst das Bild also anschließend am Computer drehen.

Nun bist du an der Reihe!

Arbeitet im Team. Malt euer Motiv mit den ausgewählten Lichtquellen und fotografiert es.
Überprüft das Ergebnis auf dem Display der Kamera. Ist es so, wie ihr es euch vorgestellt habt?
Müsst ihr etwas ändern?
Notiert es in eurem Storyboard und macht weitere Fotos.

Überlegt, wie ihr die Fotos präsentieren wollt. Stellt eure Ergebnisse vor.

Fotos haben in der Werbung eine wichtige Funktion.

DIE BADESAISON IST ERÖFFNET.
DEIN ZOO
1

Manchmal reicht das Bild aus, um eine Werbebotschaft zu verstehen.

1

2

Hier ist der Text sehr wichtig!

Wofür werben die Anzeigen? Tauscht euch untereinander aus.

Begründet mithilfe der Beispiele, weshalb Fotos in der Werbung verwendet werden.

Untersucht die Fotografien und beschreibt, wie sie gemacht worden sind.

So geht's: Fotos am Computer bearbeiten

1

2

3

4

5

Es gibt verschiedene Möglichkeiten, Bilder digital zu bearbeiten.

Sieh dir die Menüleiste (Abb. 3) mit einem Partner an. Besprecht, wie die Hundefotos damit bearbeitet wurden.

Probiert selbst verschiedene Möglichkeiten aus, Bilder am Computer zu verändern. Stelle deine Bildbearbeitung vor. Erkläre, wie du vorgegangen bist.

Nun bist du an der Reihe!

Mein Tipp: Du kannst Teile eines Fotos am Computer ausschneiden und neu kombinieren.

1

Seht euch verschiedene Werbeplakate und Werbespots an.
Wie wurden Fotografien oder Bilder dort eingesetzt?

Überlegt euch einen eigenen Werbespot oder gestaltet ein Plakat. Setzt eure Ideen um.
Nutzt die Funktion „Freistellen“, um Bilder am Computer auszuschneiden.

Es gibt Kunstwerke, die nicht für die Ewigkeit bestimmt sind. Ich muss sie fotografieren, möchte ich sie mir später noch einmal ansehen.

1

Je nach Jahreszeit kann das Arbeitsmaterial unterschiedlich sein.

1

2

3

4

Beschreibe, womit und wie hier gearbeitet wurde.
Begründe, weshalb ein Foto gemacht werden musste.
Fällt dir noch anderes Material ein, mit dem du arbeiten kannst? Tausche dich aus!

Überlegt euch eine eigene Aktion, die ihr mit einer Fotokamera festhalten wollt.
Dokumentiert eure Arbeitsschritte: den Entwurf, die Aktion und das Ergebnis.
Gebt eurer Aktion einen Titel und präsentiert sie so, dass auch die Arbeitsschritte erkennbar sind.

Jetzt weiß ich schon viel mehr!

- *Wenn ich Lichtspuren in einem abgedunkelten Raum mit Langzeitbelichtung fotografiere, erkenne ich Linien.*
- *Fotografien haben eine wichtige Funktion in der Werbung.*
- *Am Computer kann ich Fotos oder Bilder bearbeiten, zuschneiden und neu kombinieren.*
- *Mit bestimmten Materialien kann ich vergängliche Kunstwerke schaffen.*
- *Die Fotokamera ermöglicht es mir, Aktionen im Bild festzuhalten.*

Auch einprägsame Sprüche und Musikstücke werden in der Werbung oft verwendet.
Tauscht euch über Werbung und Werbespots aus.

Erfindet einen Werbespruch, sucht passende Musik dazu und gestaltet einen eigenen Werbespot.

1

Das Gebäude ist der Reichstag in Berlin, der Sitz der Abgeordneten des deutschen Bundestages. Das Künstlerpaar Christo und Jeanne-Claude haben ihn verhüllt.

Sieht aus wie …

Verhüllen verändert

2

Der Künstler Christo hat gesagt: „Es geht nicht um das Verstecken, es geht um das Hervorheben."

1

Warum verstecken Christo und Jeanne-Claude denn die ganzen Dinge?

3

Erkennst du auf jedem Bild, was verhüllt wurde?

Lies die Sprechblase des großen Katers noch einmal genau. Was meint der Künstler damit? Tausche dich darüber aus.

Eine Aktion wie diese erfordert viel Planung.

1

2

3

4

Vom Entwurf zur Aktion – wie sind Christo und Jeanne-Claude vorgegangen?
Ordne die Fotos in die richtige Reihenfolge. Begründe!
Erkläre, was Christo und Jeanne-Claude durch ihre Verhüllung bewirkten.
Siehe dir dazu das Bild auf Seite 83 noch einmal an.

Christo und Jeanne-Claude haben nicht nur Dinge verhüllt, sie haben auch Landschaften umgestaltet.

2

1

Christo sagt, es gehe ihm in seinen Werken um einen neuen Blick auf die Dinge, eine Ablenkung vom Alltag und eine positive Stimmung.

Die Projekte bestehen immer nur für kurze Zeit. Überlege, weshalb die Künstler genau dies möchten.

Informiere dich über weitere Projekte von Christo und Jeanne-Claude. Suche dir eines aus, das dir besonders gut gefällt und stelle es vor.

Schreibt einen Brief an den Künstler Christo und schlagt ihm vor, was er in eurer Umgebung umgestalten könnte.

Suche dir einen Gegenstand aus und überlege dir zu diesem eine Verhüllungsaktion.
Mit welchem Material willst du arbeiten? Wie willst du es befestigen?

Gestaltet eine Ausstellung mit euren verhüllten Gegenständen!

Tauscht euch darüber aus, woran ihr die Dinge unter der Verpackung erkannt habt.

Jetzt weiß ich schon viel mehr!

- *Aktionen wie das Verhüllen oder Umgestalten von Dingen und Landschaften sind Bestandteil der modernen Kunst.*
- *Sie ändern den Blick auf die eigene Umwelt.*
- *Sie machen aufmerksam auf Details, die einem vorher nicht aufgefallen sind.*
- *Für Aktionskünstler sind die Menschen, die das Kunstwerk betrachten, oft genauso wichtig wie ihr Kunstwerk.*

Kunst für alle! Der Künstler Theo Jansen lässt seine Figuren mit deiner Hilfe über den Sand laufen.

1

2

Informiere dich über den Künstler Theo Jansen und seine „Strandbeesten" („Strandtiere", Abb. 1 und 2).

1

So einen Garten habe ich noch nie gesehen!

Komm mit, ich zeige dir die Figuren von Niki de Saint Phalle.

Wer war Niki de Saint Phalle?

- Niki de Saint Phalle wurde 1930 in Frankreich geboren.
- Berühmt wurde sie durch ihre Frauenfiguren, die „Nanas".
- Mit ihren „Nanas" möchte sie Energie und Lebensfreude zum Ausdruck bringen.

- Niki de Saint Phalle liebte die Kunst, besuchte aber keine Kunstschule. Alles was sie konnte, brachte sie sich selbst bei.

- In Paris baute sie mit ihrem Mann Jean Tinguely, der auch Künstler war, einen Brunnen.
- Auf die Idee brachte sie die Musik aus dem Ballett „Der Feuervogel", die der berühmte Komponist Igor Strawinsky um 1910 komponiert hat.

1

2

3

1

2

3

Figuren sind verschieden. Sie haben dünne und kantige oder runde und fließende Formen.

Man erkennt sofort, welche Figuren von Niki de Saint Phalle sind.

4

Vergleiche die Figuren von Niki de Saint Phalle mit denen von Alberto Giacometti. Worin unterscheiden sie sich? Was macht sie so unverwechselbar? Achte besonders auf die Farben und Formeigenschaften.

Figuren vergleichen

Wie eine Figur wirkt, liegt auch an ihrem Material und ihrer Oberfläche!

Ich sehe eine „Nana"! Du auch?

warm

schwer

leicht

rau

kalt

flüssig

fest

1

2

Vergleiche auch hier die beiden Kunstwerke. Worin unterscheiden sie sich?

Stell dir vor, du streichst mit der Hand über die beiden Figuren.
Wie fühlen sie sich an? Beschreibe dein Gefühl.

Welche Figur ist von Niki de Saint Phalle? Begründe, woran du sie erkannt hast.

Nun bist du an der Reihe!

Denke dir eine Figur aus, die in Niki de Saint Phalles Garten passen würde. Achte dabei auf die besonderen Formen.

Mache zuerst eine Skizze von deiner Figur. Überlege, wie du sie gestalten willst. Setze deine Idee um.

Jetzt weiß ich schon viel mehr!

- *Eine Figur nennt man in der Kunst auch Skulptur oder Plastik.*
- *Farben und Oberflächen, aber auch die Art der Gestaltung bestimmen die Wirkung von Figuren.*
- *In den Werken eines Künstlers finde ich oft Elemente, die sich wiederholen. Daran erkenne ich die Bildsprache des Künstlers wieder.*

Skulpturen waren schon immer ein Teil der Kunst.

1

Sucht Skulpturen bei euch in der Nähe.
Stellt sie nach und fotografiert euch dabei.
Habt ihr das Original gut getroffen? Vergleicht es mit euren Fotografien.

1

СДЕЛАНО В СССР
ОБЕЗЬЯНКА
ИГРУШКА

2

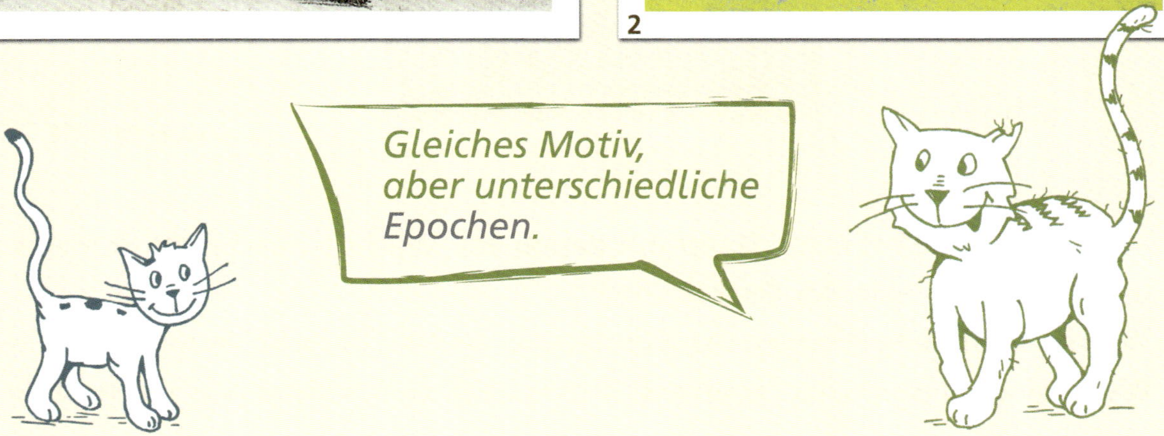
Gleiches Motiv,
aber unterschiedliche
Epochen.

1

2

3

Auf dieser Seite siehst du Bilder von Albrecht Dürer, auf der anderen Werke von Andy Warhol.

Vergleicht die Werke von Dürer mit denen von Warhol. Beschreibt Gemeinsamkeiten und Unterschiede in der Gestaltung.

Welche Techniken könnten die Künstler verwendet haben? Vermutet und begründet.

Wenn einer dieser Künstler unsere Klasse besuchen würde, was würdest du ihn fragen?

1

2

3

Stelle dir vor, du bist Direktor eines Kunstmuseums. Für deine geplante Ausstellung darfst du dich zwischen Dürer und Warhol entscheiden. Wessen Kunstwerke hängst du auf? Überlege dir Gründe für deine Auswahl.

Finde jemanden in deiner Klasse, der nicht deiner Meinung ist. Versuche, ihn für deine Auswahl zu begeistern. Tragt eure Argumente vor.

Wer war Albrecht Dürer?

- Albrecht Dürer wurde 1471 in Nürnberg geboren.
- Damals war das eine der wichtigsten Städte in Deutschland.

Das ist der Künstler Albrecht Dürer.

1

- Dürer war in seinen künstlerischen Darstellungen sehr genau. Man sagt, dass kein Maler vor und nach ihm jemals so detailliert gezeichnet hat.

- Dürer wählte oft einfache Motive wie Pflanzen und Tiere. Das war bisher nicht üblich gewesen und in dieser Epoche, der Renaissance, etwas ganz Neues.

- Berühmt wurde Dürer nicht nur durch seine Gemälde.
- Als einer der ersten Künstler ließ er Bilder drucken.
- Bei einem Holzschnitt wird die Zeichnung in eine Holzplatte geschnitten und anschließend auf Papier gedruckt. Bei einem Kupferstich wird sie in eine Kupferplatte geritzt.

- Dürer war zu Lebzeiten schon so berühmt, dass er von seiner Kunst gut leben konnte. 1509 kaufte er sich ein Haus in Nürnberg, das du heute noch besichtigen kannst.

- Andy Warhol wurde 1928 in Pittsburgh in den USA geboren.
- Damals waren die USA das Zentrum der Pop Art und Warhol einer ihrer Mitbegründer.

- Warhol wählte – wie schon Dürer – oft alltägliche Motive wie Tiere, Suppendosen oder Comicfiguren aus.

- Als Künstler wurde Warhol sehr bekannt.
- Er gründete die Kunstwerkstatt „Factory", in der viele seiner Freunde an seinen Bildern mitarbeiteten.

1

- Auch Warhol wurde durch eine Drucktechnik berühmt: den Siebdruck. Dabei wird Farbe durch einen feinen Stoff auf das Papier gedrückt. An den Stellen, die mit Schablonen abgedeckt werden, druckt sich keine Farbe ab.

- Schon als Kind interessierte sich Warhol sehr für Kunst.
- Als Erwachsener trug er immer eine Perücke, sodass kaum jemand weiß, wie er ohne sie aussah.

So geht's: Polystyroldruck

Suche dir ein Motiv aus oder zeichne es selbst. Lege es auf eine Druckplatte aus Polystyrol.

1

Übertrage zuerst nur die Außenlinie mit einem spitzen Stift.

2

3

Trage Farbe mit einer Walze auf die Platte und drucke sie mehrfach in verschiedenen Farben ab.

4

5

So geht's: Polystyroldruck

Lege dein Motiv noch einmal auf die Druckplatte und pause die Details ab.

Schneide dein Motiv an der Umrisslinie aus und drucke es auf deine Hintergrundbilder.

Fertig ist dein ganz persönlicher Warhol!

1

2

3

4

Nun bist du an der Reihe!

- **Die Kinder auf dem Bild haben verschiedene Techniken ausprobiert. Sprecht darüber.**
- **Überlege dir ein Motiv und entscheide dich für eine Gestaltungstechnik, die dazu passt. Setze deine Idee um.**
- **Stellt eure Ergebnisse vor und begründet, warum ihr euch für diese Technik entschieden habt.**

1

Beschreibe, was du auf diesem Gemälde alles entdecken kannst.
Vermutet, was zuvor passiert ist. Lasst die Personen im Bild sprechen.
Legt dazu eine Sammlung mit passenden Wörtern an.

Wer war Jan Steen?

- *Jan Steen wurde um 1626 in Holland geboren.*
- *Sein Vater war Brauer und Jan arbeitete später zugleich als Wirt und Maler.*
- *Maler dieser Zeit verwendeten oft Ölfarben. Man spricht deshalb von Ölmalerei.*

- *In seinen Bildern erzählte Jan Steen oft vom ganz alltäglichen Leben der einfachen Leute.*

1

- *Er malte die Zimmer häufig so unaufgeräumt, wie er sie vorgefunden hatte.*
- *Bis heute gibt es deshalb in Holland, wenn es in einem Haushalt unordentlich ist, die Redewendung: „Das ist ‚een huishouden van Jan Steen'!"*

- *Jan Steen war Mitbegründer der „Sint-Lucas-Gilde".*
- *Eine Mitgliedschaft in einer Gilde bot Künstlern in dieser Zeit mehr Sicherheit.*

Das ist der Künstler Jan Steen.

Ein Streit – damals oder heute. Entscheidet euch für eine Sprachvariante. Gestaltet ein Streitgespräch, das zu Jan Steens Gemälde passt. Klebt Sprechblasen ins Bild und nutzt dazu eure Wortsammlung.

Du hast dich bestimmt auch schon einmal beim Spielen geärgert. Spielt eine Streitszene nach, entscheidet euch für eine Sprachvariante – damals oder heute.

Filmt die Szene. Präsentiert eure Ergebnisse den anderen Gruppen.

Jetzt weiß ich schon viel mehr!

- *Epochen beeinflussen die künstlerische Darstellung. Künstler können aber auch Epochen beeinflussen.*
- *Auch wenn die Technik ähnlich ist, unterscheiden sich die Werke in der Art der Gestaltung.*
- *Durch Drucktechniken kann das gleiche Motive vervielfältigt und schnell verbreitet werden.*
- *Kunstwerke regen dazu an, über Sprache und Gewohnheiten nachzudenken.*

1

Was die sich wohl erzählen?

2

Warum lächelst du, Mona Lisa?

Suche dir Kunstwerke aus, die du zum Leben erwecken möchtest.
Schreibe auf, was die Personen im Bild sprechen könnten. Stelle oder spiele es vor.

4. STOCKWERK
Jetzt habe ich wieder viel erfahren!
Das war's – im 4. Stockwerk!
Kunstwerke regen zum Nachdenken an.
Drucktechniken ermöglichen, ein Motiv zu vervielfältigen.
Die Farben, das Material und die Art der Gestaltung bestimmen die Wirkung von Skulpturen.
Aktionen wie das Verhüllen oder Umgestalten gehören zur modernen Kunst.
Mit der Fotokamera kann ich Aktionen in Bildern festhalten.
Menschen wurden in unterschiedlichen Epochen verschieden dargestellt.

Lexikon zur Kunst 1/2

Diese Begriffe kennst du schon aus dem ersten Band **Kunst mit uns 1/2**.

Hier kannst du wichtige Begriffe nachlesen.

1 abstrakt

Abstrakt (gegenstandslos) ist ein Bildmotiv, wenn ich es nur mit Farben, Formen oder Linien darstelle.

1

2 Bildhauer

Ein Bildhauer ist ein Künstler, der Skulpturen herstellt.

2

3 „Blauer Reiter“

„Blauer Reiter“ nannte sich eine Gruppe von Künstlern, die sich 1911 gegründet hat. Ihr Ziel war, neue Wege in der Kunst zu finden.

3

4 expressionistisch

Expressionistisch nennt man einen bestimmten Malstil verschiedener Künstler. Sie wollen ihre Gefühle im Bild ausdrücken und stellen die Wirklichkeit nicht immer naturgetreu dar.

4

5 Fotocollage

„Coller“ ist ein französisches Wort und heißt „kleben“. Bei einer Collage wird meistens mit Papier gearbeitet. Es wird so aufgeklebt, dass ein neues Bild entsteht.

Bei der Fotocollage verwendest du ein oder mehrere Fotos und gestaltest daraus ein neues Bild.

5

6

6 Gemälde

Gemälde ist ein altes Wort für ein Bild. Früher wurde es meistens mit Ölfarben auf eine Leinwand oder auf eine Holzplatte gemalt.

7

7 Motiv

Das, was ein Künstler darstellen will, und auch das, was du zeichnen, malen oder fotografieren willst, ist das Motiv.

Es können Personen, Tiere, Pflanzen, Landschaften oder Dinge sein.

8

8 Porträt

Porträt nennt man ein Bild, bei dem das Motiv ein Gesicht ist. Früher mussten sich die Menschen malen lassen, wenn sie ein Porträt von sich haben wollten.

Heute lässt man sich dafür fotografieren. Wenn du ein Bild von dir selbst malst, heißt das Selbstporträt.

9

9 Profil

Wenn du einen Kopf von der Seite ansiehst oder darstellst, spricht man von Profil.

10

10 Skizze

Eine Skizze ist meist eine schnelle, grobe Zeichnung. Künstler wollen damit eine Idee oder eine Beobachtung festhalten, die sie später vielleicht als Vorlage für ein Gemälde, ein Porträt oder eine Skulptur gebrauchen können.

11

11 Skulptur

In der Kunst nennt man eine Figur in 3D meistens Skulptur. Eigentlich entsteht eine Skulptur aber nur dann, wenn du von einem Gegenstand etwas wegnimmst oder herausklopfst.

Baust du eine Figur aus Knete, Pappmaché, Metall oder einem anderem Material auf, dann heißt die Figur Plastik.

12

12 Sockel

Ein Sockel ist ein Block aus Stein oder einem anderem Material, auf dem etwas steht, z. B. eine Skulptur.

13

13 Stativ

Ein Stativ ist ein Gestell, auf dem du deine Kamera befestigen kannst, damit dein Foto oder deine Filmaufnahme nicht verwackelt.

Lexikon zur Kunst 3/4

1 Action Painting

Ein Kunststil der modernen Malerei. Action Painting bedeutet übersetzt „Aktionsmalerei“. Das Besondere am Action Painting ist die Bewegung beim Arbeiten: Die Farbe wird direkt auf die Leinwand geschleudert, gewalzt oder getropft! Das Bild entsteht also während der Aktion des Künstlers und ist darum auch nicht planbar.

2 Atelier

Atelier (sprich: Atelje) ist ein französisches Wort und beutet übersetzt „Werkstatt“. Es ist also der Arbeitsraum des Künstlers.

3 Autofokus und Zoom

Mit dem Autofokus einer Fotokamera wird ein Motiv beim Fotografieren automatisch scharf gestellt.
Mit der Zoom-Taste kannst du ein Motiv näher heranholen.

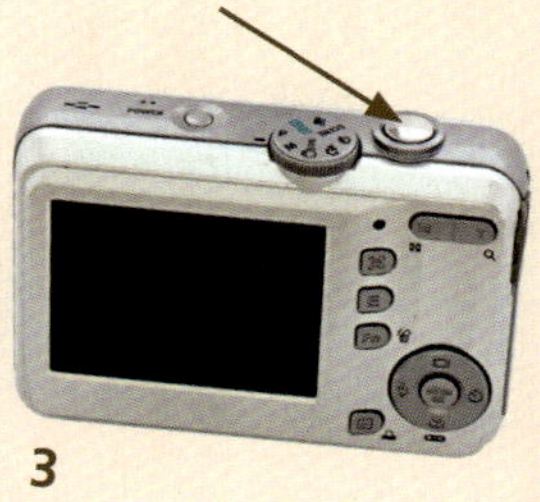

4 Bilderzyklus

Eine Reihe von Bildern mit dem gleichen Motiv oder zu einem Thema wird auch Bilderzyklus genannt.

5 Drip Painting

5

Eine Maltechnik, bei der die Farbe direkt auf den Untergrund getropft wird. Drip Painting heißt übersetzt „getropfte Malerei“. Der Künstler verwendet dafür z. B. eine Konservendose mit kleinen Löchern an der Unterseite, die er an einer Schnur befestigt. Wenn er die Dose nun über eine Leinwand schwenkt, entstehen Farbspritzer, -tropfen und -linien. Bekannt wurde diese Technik durch den US-amerikanischen Künstler Jackson Pollock.

6 Epoche

Ein bestimmter Zeitabschnitt in der Geschichte. In der Kunst wird der Begriff Epoche häufig benutzt, um damit eine Kunstrichtung einer bestimmten Zeit zuzuordnen. Die Epoche der Renaissance, in der Albrecht Dürer lebte, ist beispielsweise das 15./16. Jahrhundert.

7 Fabelwesen

7

Fabelwesen sind Fantasiegestalten, die erfunden wurden und nicht wirklich existieren. Meist sind es Tiere, wie z. B. Einhörner oder Drachen. Es gibt aber auch Mischwesen, wie die Meerjungfrau, die Sphinx oder der Zentaur, die halb Mensch und halb Tier sind.

8 Gilde

8

Ein Zusammenschluss von Handwerkern, Künstlern oder Kaufleuten. Mitglieder einer Gilde halfen sich gegenseitig und vertraten gemeinsam ihre Interessen. Sie legten Regeln über feste Arbeitszeiten, Löhne oder Preise für ihre Waren fest.

9 Holzschnitt und Kupferstich

9

Bei einem Holzschnitt wird ein Motiv aus einem hölzernen Block herausgeschnitten. Die erhabenen Stellen werden eingefärbt und auf Papier gedruckt. Beim Kupferstich wird ein Motiv in eine Kupferplatte geritzt. Das Bild wird dann auf Papier gedruckt, indem man die eingefärbte Platte stark presst, sodass sich die Farbe aus den Rillen auf das Blatt verteilt.

10 Impressionismus

10

Eine Kunstrichtung, die in der zweiten Hälfte des 19. Jahrhunderts in Frankreich entstand. Die Künstler versuchten, in ihren Bildern eine Stimmung, auch Impression genannt, festzuhalten. Sie gingen zum Malen oft in die freie Natur. Da sich mit dem Licht auch die Stimmung in der Natur verändert, malten die Impressionisten oft sehr schnell. Die Farben drückten sie direkt aus der Tube auf die Leinwand und mischten sie auch gleich dort.

Lexikon zur Kunst 3/4

11

11 Inszenierung

Inszenierte Fotos erzählen eine Geschichte. Anders als bei einem Schnappschuss sind solche Bilder dafür vorher genau zu planen. Dabei spielen der Bildausschnitt, das Licht, die Perspektive und der Ort, an dem du das Foto aufnimmst, eine wichtige Rolle.

12 Kupferstich

Schaue bei Holzschnitt und Kupferstich nach.

13

13 Legenden und Sagen

Legenden und Sagen sind alte, mündlich überlieferte Geschichten mit Göttern, Helden und Fabelwesen, die viel über die Kultur eines Landes erzählen. In der Regel haben diese Geschichten alle einen wahren Kern. Legenden erzählen meist die Lebensgeschichte von Heiligen.

14

14 pastos

Das Wort bedeutet übersetzt „breiartig" oder „teigartig". In der Malerei spricht man von einem pastosen Farbauftrag, wenn die Farbe sehr dick auf die Leinwand aufgetragen wird. Die Künstler haben dafür oft ein Messer oder einen Spachtel verwendet.

15

15

15 Perspektiven: Vogel- und Froschperspektive

Die besondere Sichtweise auf ein Motiv. Fotos aus der Froschperspektive werden von unten nach oben aufgenommen. Bei der Vogelperspektive wird von oben auf ein Motiv herunter fotografiert.

16

16 Plastik

In der Kunst nennt man eine Figur, die von allen Seiten betrachtet werden kann, Skulptur oder Plastik. Ist eine Figur z. B. aus Knete, Pappmaché, Metall, ist es eine Plastik.

17

17 Pop Art

Eine Kunstrichtung, die um 1950 in England und den USA entstanden ist. Die Künstler beschäftigten sich oft mit Motiven aus dem Alltag, wie z. B. Suppendosen. Manche Pop Art Gemälde erinnern an Comics. Die Bilder haben oft grelle, leuchtende Farben. Einer der berühmtesten Künstler der Pop Art war Andy Warhol.

Lexikon zur Kunst 3/4

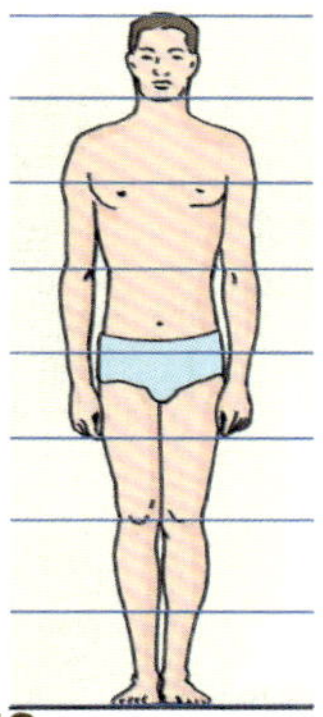

18

18 Proportionen

Ein Gesicht oder auch ein Körper ist nach einem festen Schema aufgebaut. Ein Kopf passt beispielsweise acht Mal in einen Körper.

19

19 Renaissance

Renaissance bedeutet „Wiedergeburt". Die Epoche der Renaissance entstand im 15. Jahrhundert in Italien. Damals entdeckten die Künstler die Werke der alten Griechen und Römer wieder. Albrecht Dürer ist der bedeutendste deutsche Renaissancekünstler.

20 Sagen

Schaue bei Legenden nach.

21

21 schraffieren

Um Schatten oder Grauwerte in einer Zeichnung darzustellen, schraffiert man. Dazu werden Linien eng aneinandergesetzt. Je enger die Linien, desto dunkler die Fläche.

22

22 Siebdruck

Ein Druckverfahren, bei dem durch einen feinmaschigen Stoff die Farbe auf das darunter liegende Blatt gedrückt wird.

23

23 Statue

Eine freistehende Skulptur (Mensch oder Tier) in natürlicher oder auch überlebensgroßer Größe. Meistens ist sie aus einem festen Material (z. B. Bronze, Stein).

24

24 Stillleben

Der Begriff kommt vom niederländischen „stil leven", was stilles Leben bedeutet. Auf den Gemälden werden meist nur reglose, also unbewegte Gegenstände dargestellt.

25

25 Storyboard

Der Begriff kommt aus dem Bereich des Films. In einem Storyboard werden, ähnlich wie bei einer Skizze, die Ideen für ein Drehbuch oder eine Fotoaktion festgehalten.

26 Zoom

Schaue bei Autofokus nach.

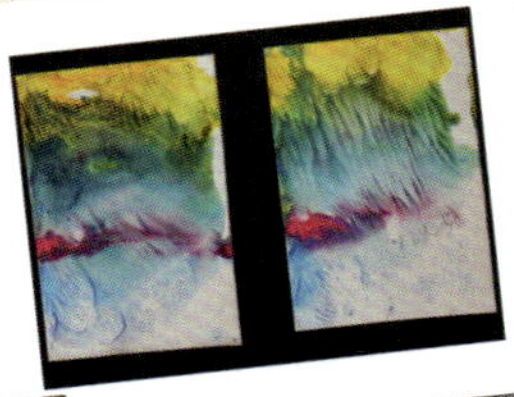

27

27 Zufallsverfahren

Zufallsverfahren sind Gestaltungstechniken in der Kunst, bei denen das Ergebnis wie beim Drip Painting vorher nicht planbar ist.

Verzeichnis der Kunstwerke und Künstler*

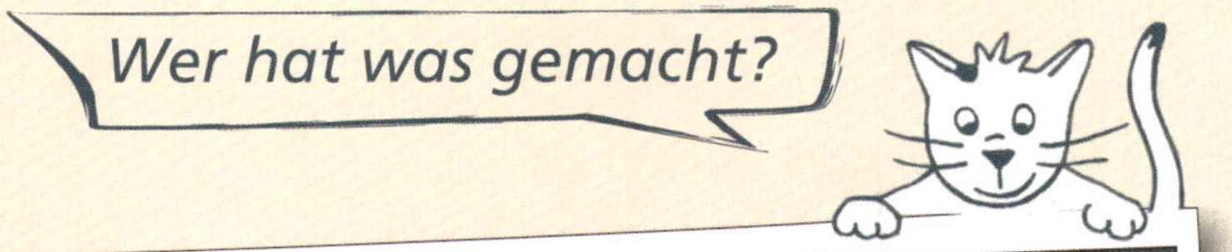

Kapitel	Seite	Titel des Kunstwerks	Künstlerin oder Künstler	Entstehungsdatum
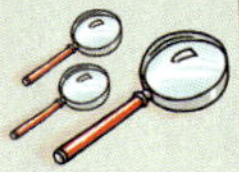	9	1 *Drei Gurken und ein Topf mit Kirschen*	Félix Vallotton	1911
	10	1 *Stillleben mit Gitarre*	Alexander Kanoldt	1926
		2 *Stillleben mit Ingwertopf, Zuckerdose und Äpfeln*	Paul Cézanne	1890/1894
	11	1 *Paul Cézanne bei seiner Arbeit im Atelier*	unbekannt	undatiert
		2 *Atelier von Paul Cézanne, Aix-en-Provence*	unbekannt	undatiert
	12	1 *Atelier von Paul Cézanne, Ingwertopf, Aix-en-Provence*	Nimatallah	undatiert
		2–4 *Ausschnitte aus „Stillleben mit Ingwertopf …“*	Paul Cézanne	1890/1894
	13	1 *Stillleben mit Äpfeln*	Félix Vallotton	1924
	16	1 Ohne Titel	Martin Roller	2013
	25/26	1–3 *Kleine Leute in der großen Stadt*	Slinkachu	2009
		"	"	"
	29	1 *Hundertwasserschule Luther-Melanchthon-Gymnasium, Wittenberg*	Friedensreich Hundertwasser	1999
	31	2 "	"	"
	32	1 *St. Peter und Paul, Dettingen am Main*	Dominikus Böhm/Martin Weber	1922/23
		2 *Innenraum Wieskirche, Wallfahrtskirche, Steingaden*	Johann Baptist/Dominikus Zimmermann	1745–1754
		3 *Schloss Neuschwanstein, Hohenschwangau bei Füssen*	Eduard Riedel/Georg von Dollmann	ab 1869
	34	1 *Schloss Nymphenburg, Mittelpavillon, München*	Agostino Barelli/Enrico Zuccalli	um 1674
		4 *Tarot Garten, Garavicchio*	Niki de Saint Phalle	eröffnet 1998
	36	1 *Fassade Kunsthaus Wien, Wien*	Friedensreich Hundertwasser	eröffnet 1991
		2 *Anbetungsfenster, Dom, Köln*	Joseph Anton Fischer/Franz Hellweger	1846
		3 *Südquerhausfenster, Dom, Köln*	Gerhard Richter	2007
	37/38	1 *Regenbogenschlange*	Aboriginal Art	undatiert
		2 *Bark Painting (Regenbogenschlange)*	Aboriginal Art	undatiert
	39	1 *Fabelwesen aus „Bilderbuch für Kinder“*	Friedrich Justin Bertuch	1806
	42–44	1–5 *Illustrationen aus „Miss Harriets Ballonfahrt um die Welt“*	Sue Scullard	2012
	47	1 *Heuhaufen im Sonnenuntergang*	Claude Monet	1891
	48	1 *Seerosen in Giverny*	Claude Monet	1908
		2 *Claude Monet*	Nadar	1899
		3 *Impression, Sonnenaufgang*	Claude Monet	1873
	49	1 *Heuhaufen mit Schnee*	Claude Monet	1891
		2 *Heuhaufen im Sonnenuntergang*	Claude Monet	1891
		3 *Heuhaufen zur Mittagszeit*	Claude Monet	1890
	54	1 *Jackson Pollock bei der Arbeit*	Hans Namuth	1950
	55	1 *Jackson Pollock (Detail)*	Tony Caccaro	1953
	56	1 *Nummer 22*	Jackson Pollock	1950
		2 *Lavendel-Nebel, Nr. 1*	Jackson Pollock	1950
	60	1 *Magreetings*	Norman Hollands	1997

* Zu allen hier nicht aufgeführten Vorlagen siehe das Bildquellenverzeichnis.

Hier findest du die Künstler und ihre Werke, die du im Buch kennengelernt hast!

Kapitel	Seite	Titel des Kunstwerks	Künstlerin oder Künstler	Entstehungsdatum
	63	1 *La Noce*	Henri Rousseau	1905
	64	1 *Krönung des Pippin, König der Franken*	Robert Gaguin	1514
		2 *Napoleon beim Überschreiten der Alpen*	Jacques-Louis David	1800
		3 *Bal du moulin de la Galette*	Auguste Renoir	1876
		4 *Bauhaustreppe*	Oskar Schlemmer	1932
	65	1 *Ankunft einer asiatischen Familie in Ägypten*	Émile Prisse d'Avennes	1868–1877
		2 *Afrikanische Frauen*	unbekannt	undatiert
		3 *Prinz Genji mit einer Frau und einem Knaben in der Landschaft*	Kunisada II	1857
	68	1 *Die Fußballspieler*	Henri Rousseau	1908
		2 *Karl Valentin*	Ernst Andreas Rauch	1953
		3 *Fliegendes Kind mit neuer Flugmaschine*	Leander Baerenz	undatiert
	69	1 *Picasso zeichnet „Minotaurus"*	Gjon Mili	1949
	79	1 *Spirit & Matter I*	Andres Amador	2015
	83	1 *Verhüllter Reichstag, Berlin*	Christo & Jeanne-Claude	1995
	84	1 *Wrapped Volkswagen*	Christo & Jeanne-Claude	1963
		2 *The Pont Neuf Wrapped, Paris*	Christo & Jeanne-Claude	1985
		3 *Wrapped Trees, Riehen*	Christo & Jeanne-Claude	1998
	86	1–2 *The Floating Piers, Sulzano Brescia*	Christo & Jeanne-Claude	2016
	88	1 *Strandbeest*	Theo Jansen	2011
		2 *Strandbeest*	Theo Jansen	2011
	89	1 *Tarot Garten, Garavicchio*	Niki de Saint Phalle	eröffnet 1998
	90	1 *Die drei Grazien*	Niki de Saint Phalle	1999
		2 *Nicki de Saint Phalle bei der Arbeit*	Brigitte Hellgoth	1979
		3 *Der Feuervogel, Paris*	Niki de Saint Phalle	1982/83
	91	1 *Drache, Chur*	Niki de Saint Phalle	1998
		2 *Gehender Mann*	Alberto Giacometti	1960
		3 *Schutzengel, Zürich*	Niki de Saint Phalle	1997
		4 *The cat*	Alberto Giacometti	1951
	92	1 *Livesaver, Duisburg*	Niki de Saint Phalle/Jean Tinguely	1991–1993
		2 *Mercurius, Bonn*	Markus Lüpertz	2007
	94	1 *Brentano-Brunner („Ludovica liest…")*	Theophil Steinbrenner	2002
	95	1 *Maria mit der Meerkatze (Detail)*	Albrecht Dürer	um 1498
		2 *Toy Painting (Monkey)*	Andy Warhol	1983
	96	1 *Selbstbildnis im Pelzrock*	Albrecht Dürer	1500
		2 *Bauern auf dem Markt (Detail)*	nach Albrecht Dürer	1512
		3 *Studie einer Lilie*	Albrecht Dürer	1526
	97	1 *Two Foot Flowers*	Andy Warhol	1964
		2 *Campbell's Soup*	Andy Warhol	1962
		3 *Selbstporträt*	Andy Warhol	1966
	98	1 *Selbstbildnis im Pelzrock*	Albrecht Dürer	1500
	99	1 *Andy Warhol Porträt mit Hund*	Jack Mitchell	1973
	103	1 *Streit beim Kartenspiel*	Jan Steen	1664/65
	104	1 *Selbstporträt als Lautenspieler*	Jan Steen	um 1660
	106	1 *Blaue Tänzerinnen in der Pause*	Edgar Degas	1884/85
		2 *Mona Lisa*	Leonardo da Vinci	um 1503–1506

Kompetenzbereiche

Kapitel	Seite	Erläuterungen und unterrichtspraktische Hinweise	Prozessbezogene Kompetenzen: wahrnehmen	analysieren, deuten, werten	imaginieren und verbalisieren	gestalten	präsentieren	kommunizieren
	9	Durch das Bildbeispiel werden die Kinder angeregt, die einzelnen Objekte des Stilllebens in ihren charakteristischen Eigenschaften bewusst wahrzunehmen.	✓	✓				
	10 f.	Die Kinder beschreiben das Bildthema und erkennen das Stillleben als eigenständige Gattung in der Kunst. Über den Einblick in Cézannes Atelier erhalten die Kinder einen ersten Eindruck von der Arbeitsweise der Künstler dieser Zeit.	✓	✓	✓			✓
	12	Die Kinder beschreiben die Gegenstände des Stilllebens in ihren Details als Grundlage für das eigene Gestalten. Spezifische Schemata der Objekte werden dabei herausgearbeitet.	✓	✓				✓
	13	Über die genaue Betrachtung des Kunstwerks gewinnen die Kinder Erkenntnisse über Oberflächenbeschaffenheit und Strukturen der verschiedenen Objekte, beschreiben sie detailliert mit geeigneten Fachbegriffen und erstellen eigene Skizzen.	✓	✓	✓	✓		✓
	14	Jedes Bildbeispiel wird auf seine Gestaltungstechnik hin untersucht. Die Kinder explorieren mit verschiedenen Arbeitsmitteln, um die eigene Bildsprache weiterzuentwickeln.	✓	✓		✓		✓
	15	Die Kinder wenden die besprochenen gestalterischen Verfahren und Arbeitsmittel an, um zu individuellen bildnerischen Lösungen zu gelangen. Sie geben gezielte Rückmeldung bezüglich der Umsetzung und stellen Vergleiche mit dem Realvorbild an.	✓	✓	✓	✓	✓	✓
	16	*Lernzuwachs:* Die Kinder nehmen Dinge aus ihrer Umwelt in ihren typischen Eigenschaften differenziert wahr und beschreiben sie. Verschiedene Techniken zur Darstellung von Oberflächen und Strukturen werden als Grundlage für das eigene Gestalten erarbeitet.						
	17 f.	Über das Bildbeispiel werden die Kinder auf optische Täuschungen in Fotografien aufmerksam. Sie erarbeiten den Zusammenhang zwischen der Darstellung im Foto und dem Aufnahmewinkel und stellen eigene fotografische Versuche an.	✓	✓		✓		✓
	19	Sie erkennen die ungewöhnlichen Motivkonstellationen auf den Fotografien. Dabei erfahren sie, dass die Zusammenstellung oder Präsentation einzelner Fotografien entweder den Bildinhalt beeinflussen kann oder eine bestimmte Wirkung entstehen lässt.	✓	✓				✓
	20 f.	Die Kinder wiederholen die Grundfunktionen und Fachbegriffe einer Fotokamera und eignen sich über die praktische Anwendung von Zoom- oder Autofokusfunktion grundlegende fotografische Techniken an.	✓	✓		✓		✓
	22	Die Kinder experimentieren mit verschiedenen fotografischen Perspektiven und wenden dabei die Fachbegriffe wie Vogel- und Froschperspektive richtig an.	✓	✓	✓	✓		
	23	Über die Bildbeispiele werden die Begriffe Licht, Gegenlicht und Blitzlicht erarbeitet.	✓	✓	✓	✓		✓
	24	Die Kinder finden ungewöhnliche Motive oder Motivkonstellationen in ihrer Umgebung und nutzen sie für eigene Bildideen. Sie unterstützen ihre Gestaltungsabsicht, indem sie sich für eine geeignete Präsentation ihrer Ergebnisse entscheiden und stellen diese vor.	✓	✓	✓	✓	✓	✓
	25	Zunächst analysieren die Kinder nur den dargestellten Bildausschnitt und beschreiben daran die Besonderheit von Material und Bildwirkung.	✓	✓				✓
	26	Anschließend bewerten die Kinder das Foto in seiner Gesamtheit und erkennen, dass der Kontext – hier die Umgebung in der das Foto aufgenommen wurde – einen Einfluss auf die Bildwirkung haben kann.	✓	✓				✓
	27	Die Kinder nutzen mithilfe der gewonnenen Erkenntnisse ihre gestalterischen Fähigkeiten im Umgang mit digitaler Fotografie, um eigene Aktionen in einem Foto oder einer Bildreihe zu dokumentieren.		✓	✓	✓	✓	✓
	28	*Lernzuwachs:* Die Kinder fotografieren interessante Motivkonstellationen in ihrer Umgebung aus verschiedenen Blickwinkeln und erweitern so die Wahrnehmung auf ihre Umwelt. Durch geeignete Präsentationen lernen sie, eine bestimmte Bildwirkung zu erzielen. Eine weiterführende Aufgabe regt dazu an, sich mit verschiedenen digitalen Anwendungsmöglichkeiten auseinanderzusetzen.						
	29	Die Kinder beschreiben das im Bild gezeigte Gebäude. Sie stellen Vermutungen über Zweck oder Funktion an.	✓	✓	✓			
	30	Die Kinder vergleichen Schulgebäude aus verschiedenen Kulturkreisen miteinander. Sie beschreiben Gemeinsamkeiten und Unterschiede und untersuchen verschiedene Schulräume auf ihre Funktionalität.	✓	✓	✓			
	31	Die Kinder erkennen, dass Gestaltungselemente oder Umgestaltungen ein Gebäude in seiner Wirkung verändern. Sie nutzen geeignete Begriffe zur Beschreibung im Zusammenhang mit architektonischen Besonderheiten.	✓	✓	✓			✓
	32	Sie nehmen die Wirkungen unterschiedlicher Gebäude und Räume wahr und tauschen sich mit Fachbegriffen darüber aus.	✓	✓	✓			✓
	33	Die Kinder entwickeln Ideen zur Gestaltung von Gebäuden und setzen sie eigenständig im Modell um.	✓		✓	✓		

wahrnehmen · analysieren, deuten, werten · imaginieren und verbalisieren · gestalten · präsentieren · kommunizieren

Kompetenzbereiche

Kapitel	Seite	Erläuterungen und unterrichtspraktische Hinweise	Prozessbezogene Kompetenzen: wahrnehmen	analysieren, deuten, werten	imaginieren und verbalisieren	gestalten	präsentieren	kommunizieren
	34	Die Kinder erkennen den Bezug von Farbe, Material und Schmuckelementen auf die Raumwirkung und vergleichen die Eindrücke.	✓	✓				
	35	Die Kinder entwickeln Ideen zur Gestaltung von Räumen für bestimmte Anlässe und setzen sie projektbezogen um.		✓	✓	✓	✓	✓
	36	*Lernzuwachs:* Die Kinder verwenden treffende Fachbegriffe, um Gebäude und Raumwirkungen zu beschreiben. Sie erkennen, dass Farben oder Materialien die Raumwirkung beeinflussen können und nutzen die Erkenntnis bei der Umsetzung eigener Projekte.						
	37 f.	Die Kinder erhalten einen Einblick in Erzählungen, Sagen und Mythen anderer Kulturkreise und deren Darstellung in der Kunst.	✓	✓	✓			✓
	39	Angeregt durch Bild- und Textbeispiel beschreiben die Kinder wichtige Motive aus der Legenden- und Sagenwelt, wie z. B. Fabelwesen, um daraus Ideen für eigene Bilder zu entwickeln.	✓	✓	✓			✓
	40	Die Kinder explorieren mit verschiedenen Arbeitsmitteln und Verfahren. Sie nutzen die gewonnenen Erkenntnisse zur Gestaltung eines passenden Hintergrundes für ihr Fabelwesen.	✓	✓		✓		✓
	41	Die Kinder stellen ein eigenes Fantasiewesen detailliert und variantenreich dar und erklären anschließend ihre Gestaltungsweise im Vergleich zu den Ergebnissen anderer Kinder.			✓	✓	✓	✓
	42	Über den gemeinsamen Austausch über verschiedene Bilderbücher kommen die Kinder ins Gespräch und sammeln Bildideen für die eigene Gestaltung.		✓		✓	✓	✓
	43	Anhand der Beispiele erkennen die Kinder die Wirkung von Überschneidungen, Strukturen und Farben auf die Stimmung im Bild und beschreiben sie mit treffenden Fachbegriffen. Anschließend begründen sie ihre Einschätzung zur jeweiligen Bildwirkung.	✓	✓	✓			✓
	44	Mithilfe der Begriffe Vordergrund, Mitte und Hintergrund erschließen sich die Kinder den Bildraum. Sie beschreiben Farbkontraste und setzen sie mit der Bildwirkung in Verbindung.	✓	✓	✓			✓
	45	Die Kinder gestalten eine fantasievolle Landschaft, indem sie auf ihr eigenes gestalterisches Repertoire zurückgreifen und ihre Erkenntnisse über die Darstellung von Strukturen, Farbtönen oder Überschneidungen nutzen.			✓	✓		
	46	*Lernzuwachs:* Angeregt durch verschiedene Bildbeispiele entwickeln die Kinder Vorstellungen und innere Bilder für eigene Gestaltungsabsichten. Sie präsentieren ihre Ergebnisse, erklären ihre Vorgehensweise und vergleichen ihre Arbeiten, mit denen der Mitschülerinnen und Mitschüler.						
	47	Über das Kunstwerk von Claude Monet erhalten die Kinder einen ersten Eindruck über die Darstellungsweise der Impressionisten.	✓	✓				
	48	Die Kinder erhalten erste Informationen zum Künstler Claude Monet und seiner künstlerischen Intention.	✓	✓				
	49	Die Stimmung in den unterschiedlichen Kunstwerken nehmen die Kinder bewusst wahr. Sie beschreiben und begründen diese mithilfe der bisher erworbenen Fachbegriffe.	✓	✓				
	50 f.	Zum Thema differenzierende Farbbezeichnungen erstellen die Kinder eine Wortsammlung. Mithilfe des Farbkreises erlernen sie die Fachbegriffe Primär-, Sekundär-, und Tertiärfarben und explorieren die Farbmischung.	✓	✓	✓	✓	✓	
	52	Die Kinder wenden die differenzierenden Farbbezeichnungen zur Beschreibung der Bildbeispiele an. Sie nutzen diese für die Gestaltung von Stimmungen in eigenen Bildern.	✓	✓		✓		
	53	Die Kinder wählen ein Motiv aus ihrer Umgebung und setzen die Bildidee projektorientiert um, wobei sie die Sicht- und Arbeitsweisen der Impressionisten berücksichtigen.		✓	✓	✓		✓
	54	Angeregt durch das Bildbeispiel beschreiben die Kinder die Arbeitsweise des Künstlers Jackson Pollock und nehmen Aktionskunst als eigene Kunstrichtung wahr.	✓	✓				
	55	Die Kinder erhalten erste Informationen zum Künstler Jackson Pollock und seine künstlerische Intention.	✓	✓				
	56	Über ausgewählte Werke des Künstlers erhalten die Kinder Einblicke in experimentelle Verfahren und abstrakte, bildnerische Gestaltung.	✓	✓				✓
	57 f.	Die Kinder ordnen den abgebildeten Beispielen die verschiedenen Werkmittel zu und begründen ihre Entscheidung. Im Experiment erfahren sie, dass durch Zufallsverfahren eigene Kunstwerke entstehen können.	✓	✓		✓		
	59	Die Kinder planen eine eigene Aktion, dokumentieren sie und arrangieren eine Ausstellung mit den Ergebnissen.			✓	✓	✓	✓

wahrnehmen · analysieren, deuten, werten · imaginieren und verbalisieren · gestalten · präsentieren · kommunizieren

Kompetenzbereiche

Kapitel	Seite	Erläuterungen und unterrichtspraktische Hinweise	Prozessbezogene Kompetenzen					
			wahrnehmen	analysieren, deuten, werten	imaginieren und verbalisieren	gestalten	präsentieren	kommunizieren
	60	*Lernzuwachs:* Angeregt durch den Blick der Impressionisten auf ihre Umwelt, lernen die Kinder, Stimmungen im Bild durch eine besondere Farbgebung auszudrücken. Durch das Gespräch über Aktionskunst erweitern die Kinder ihren Begriff von Kunst. Sie nehmen die Werke der Künstler wertschätzend wahr und besprechen ihre Wirkung, um eine ästhetische Urteilsfähigkeit anzubahnen.						
	63	Über die Betrachtung des Kunstwerks erhalten die Kinder einen Einblick in eine epochentypische Darstellung von Menschen in der Kunst.	✓	✓				
	64 f.	Die Kinder erarbeiten über den Vergleich der Kunstwerke aus verschiedenen Zeiten epochentypische Merkmale und erkennen, dass sich die Art der Darstellung im Laufe der Zeit verändert. Dabei stellen sie fest, dass auch die Kultur eines Landes Einfluss auf die Darstellungen von Personen und Menschen haben kann.	✓	✓	✓			✓
	66	Die Kinder begreifen über die schematische Darstellung, dass die Längen und Größenverhältnisse eines Körpers (Proportionen) im relativen Verhältnis zueinander stehen. Sie überprüfen diese Schemata anhand von Praxisvergleichen.	✓	✓		✓		✓
	67	Im eignen Gestalten setzen sich die Kinder kreativ und künstlerisch mit dem Thema „Das bin ich“, „Das macht mich aus“ auseinander. Sie reflektieren dabei nicht nur über den künstlerischen Aspekt der Darstellung eines Menschen, sondern auch über ihr eigenes Selbstkonzept.		✓	✓	✓	✓	✓
	68	*Lernzuwachs:* Die Kinder nehmen die Darstellung der Menschen innerhalb der verschiedenen Epochen wahr und beschreiben sie im Hinblick auf die geschichtliche Entwicklung oder den kulturellen Zusammenhang. Sie erkennen, dass die Proportionen eines Körpers entscheidend für eine möglichst natürliche Darstellung sind.						
	69	Die Kinder beschreiben in Picassos „Lichtbild“ die Besonderheit der fotografischen Technik „Malen mit Licht“.	✓	✓				
	70 f.	Jedes Foto wird auf seine Lichtquelle hin untersucht. Die Kinder ordnen die Leuchtmittel den entsprechenden Bildbeispielen zu, wobei sie ihre Vermutungen begründen.	✓	✓				✓
	72 f.	Die Kinder erarbeiten sich die fotografische Technik für das „Malen mit Licht“, explorieren mit den verschiedenen Faktoren und bewerten die Resultate. Sie planen daraufhin eigene Vorhaben.		✓		✓		
	74	Nach eingehenden Überlegungen setzen die Kinder ihre Ideen in der erlernten Technik „Malen mit Licht“ um. Sie überlegen eine geeignete Präsentationsmöglichkeit der Ergebnisse.		✓		✓	✓	✓
	75 f.	Die Kinder beschreiben Beispiele von Fotografien in der Werbung im Hinblick auf ihre Motivwahl und Gestaltung.	✓	✓	✓			✓
	77 f.	Die Kinder lernen verschiedene Möglichkeiten digitaler Bildbearbeitung kennen und nutzen die gewonnenen Erkenntnisse für die eigene Gestaltung.	✓	✓	✓	✓	✓	
	79 f.	Anhand der Bildbeispiele gelangen die Kinder zu der Erkenntnis, dass manche Kunstwerke fotografiert werden müssen, um sie zu bewahren oder zu dokumentieren und begründen dies.	✓	✓	✓			✓
	81	Kinder erlernen ein planvolles Vorgehen, indem sie eine Aktion in einem Drei-Schritt „Entwurf-Aktion-Ergebnis“ festhalten. Bei der Präsentation dokumentieren sie sowohl das Vorgehen als auch das Arbeitsergebnis.		✓	✓	✓	✓	✓
	82	*Lernzuwachs:* Die Kinder beschreiben Beispiele von Fotografien in der Kunst und in der Werbung im Hinblick auf Motivwahl und Gestaltung, verstehen so ihre jeweilige Funktion und nutzen diese Erkenntnisse für die Gestaltung eigener Bilder. Sie nutzen ihre gestalterischen Fähigkeiten im Umgang mit digitaler Fotografie, um eine einfache Aktion zu dokumentieren.						
	83	Durch die Verhüllungstechnik des Künstlerpaares Christo und Jeanne-Claude werden die Kinder auf Aktionskunst aufmerksam.	✓	✓				
	84 f.	Über die Bildbeispiele von Christos Verhüllungen werden die Kinder dazu angeregt, alltägliche Objekte „bewusster“ wahrzunehmen. Sie reflektieren, wie sich die Objekte durch die Aktion verändern.	✓	✓	✓			✓
	86	Die Kinder informieren sich über weitere Projekte des Künstlerpaares. Sie erkennen, dass diese durch die Umgestaltung ihrer Umgebung u. a. eine positive Stimmung erzeugen oder eine Ablenkung vom Alltag schaffen wollten. Diese Idee übertragen die Kinder auf Aktionen in ihrer eigenen Umgebung.	✓	✓	✓	✓	✓	✓
	87	Die Kinder treffen eine Materialauswahl zur Verhüllung von Alltagsgegenständen und setzen ihre Ideen in einer eigenen Aktion um. Sie präsentieren ihre Objekte in einer Ausstellung.		✓	✓	✓	✓	✓
	88	*Lernzuwachs:* Die Kinder werden aufmerksam auf Aktionen wie das Verhüllen und Umgestalten und erkennen, wie diese den Blick auf die eigene Umwelt verändern.						

wahrnehmen · analysieren, deuten, werten · imaginieren und verbalisieren · gestalten · präsentieren · kommunizieren

Kompetenzbereiche

Kapitel	Seite	Erläuterungen und unterrichtspraktische Hinweise	Prozessbezogene Kompetenzen					
	89	Die Kinder betrachten den Garten von Niki de Saint Phalle, um eine emotionale und wertschätzende Beziehung zu ihren Skulpturen aufzubauen.	✓	✓				
	90	Die Kinder erhalten erste Informationen zur Künstlerin Niki de Saint Phalle und ihrer künstlerischen Intentionen.	✓	✓				
	91 f.	Sie beschreiben die Figuren von Niki de Saint Phalle, vergleichen sie mit den Skulpturen anderer Künstler und stellen Besonderheiten heraus, die den Wiedererkennungswert der Skulpturen ausmachen.	✓	✓	✓			✓
	93	Die Kinder erarbeiten sich Erkenntnissen über den Aufbau von Skulpturen hinsichtlich der Stabilität, der Form oder des Materials. Sie gestalten eine eigene Figur und orientieren sich dabei an den Gestaltungsprinzipien der Künstlerin Niki de Saint Phalle.	✓	✓	✓			
	94	*Lernzuwachs:* Angeregt durch die Figuren von Niki de Saint Phalle erkennen die Kinder verschiedene gestalterische Umsetzungsmöglichkeiten im dreidimensionalen Arbeiten. Sie untersuchen die Farbgebung und Oberfächenbeschaffenheit von Plastiken und erweitern so die eigene Bildsprache.						
	95	Die Kinder beschreiben Dürers Meerkatze aus der frühen Neuzeit im Vergleich zu Andy Warhols zeitgenössischem Siebdruck im Hinblick auf die unterschiedlichen epochentypischen Merkmale.	✓	✓				
	96 f.	Anschließend vergleichen sie motivgleiche Werke von Warhol und Dürer und analysieren deren Gemeinsamkeiten und Unterschiede. Sie entscheiden sich für die Werke aus einer Epoche, begründen diese Entscheidung und argumentieren für ihre Auswahl im Hinblick auf eine fiktive Ausstellung.	✓	✓	✓			✓
	98	Die Kinder erfahren mehr über das Leben und Wirken von Albrecht Dürer und erhalten Informationen über sein künstlerisches Schaffen während der Renaissance.	✓	✓				
	99	Die Kinder erfahren mehr über das Leben und Wirken von Andy Warhol und erhalten Informationen über die Kunstrichtung Pop Art.	✓	✓				
	100 f.	Die Kinder erlernen den Polystyroldruck als ein einfaches Druckverfahren. Sie erkennen die Möglichkeit, durch Druckverfahren ein Motiv in Serie produzieren zu können.	✓	✓		✓		
	102	Unter der Berücksichtigung der verschiedenen epochentypischen Merkmale Dürers und Warhols entscheiden sich die Kinder für eine Gestaltungstechnik. Sie setzen ihre Idee praktisch um, präsentieren ihr Ergebnis und begründen dabei ihre Auswahl.	✓	✓		✓	✓	✓
	103	Über das Bildbeispiel von Jan Steen erfahren die Kinder etwas über eine alltägliche Situation des 17. Jahrhunderts und fühlen sich in die Bildszene ein.	✓	✓	✓			✓
	104	Die Kinder erhalten Informationen über das Leben und Wirken von Jan Steen und die für ihn typischen Darstellungen von alltäglichen Szenen.	✓	✓	✓			
	105	Angeregt durch das Bild „Streit beim Kartenspiel" sammeln die Kinder Wortmaterial passend zur Szene. Sie berücksichtigen dabei den Sprachduktus der damaligen Zeit und stellen ihn der heutigen Sprachverwendung gegenüber. Sie entscheiden sich für eine Sprachvariante und nutzen sie für die Umsetzung in eine Spielszene.		✓	✓	✓	✓	✓
	106	*Lernzuwachs:* Die Kinder erkennen das Epochen die künstlerische Darstellung beeinflussen. Sie beschreiben Kunstwerke der frühen Neuzeit und des 19./20. Jahrhunderts im Vergleich und im Hinblick auf ihre Gestaltungselemente und -prinzipien und verwenden dafür passende Fachbegriffe.						

Bildquellenverzeichnis

akg-images, Berlin – S. 9, 11, 13, 108, 109; - / Album, Oronoz, © 2018 The Andy Warhol Foundation for the Visual Arts, Inc., Licensed by Artists Rights Society (ARS), New York – S. 97, 113; - / Bildarchiv Steffens, © Niki Charitable Art Foundation, VG Bild-Kunst, Bonn 2018 – S. 90, 112; - / Bernard Bonnefon, © Niki Charitable Art Foundation, VG Bild-Kunst, Bonn 2018 – S. 90; - / Cameraphoto, © Pollock-Krasner Foundation, VG Bild-Kunst, Bonn 2018 – S. 56; - / De Agostini Picture Library – S. 11, 110; - / Hilbig – S. 32; - / Erich Lessing – S. 10, 12 (3), 108; - / Nimatallah – S. 12, 64; Alamy Stock Photo / Ian Dagnall – S. 96, 98, 113; Alte Galerie / Universalmuseum Joanneum GmbH, Graz – S. 95, 111

Bayerische Verwaltung der staatlichen Schlösser, Gärten und Seen, München – S. 32, 34; Bluewin / Rainer Bolliger, Oberuzwil, © Niki Charitable Art Foundation, VG Bild-Kunst, Bonn 2018 – S. 91; Bridgeman Images / De Agostini Picture Library, G. Dagli Orti, Berlin – S. 64, 65; - / Margaret Augusta Murphy, Morris Museum of Art, Augusta, Georgia – S. 10; - / Musée Bonnat-Helleu, Bayonne, France – S. 96, 102; - / Musée dÓrsay, Paris, France – S. 64; - / Museum of Fine Arts, Boston, Massachusetts, USA – S. 49, 111; - / National Gallery of Art, Washington D. C., USA, © Pollock-Krasner Foundation, VG Bild-Kunst, Bonn 2018 – S. 56, 110; - / Nationalgalerie von Australien, Canberra – S. 49; - / Private Collection – S. 47, 48, 49; - / Private Collection, Tony Vaccaro – S. 55; - / Private Collection, © VG Bild-Kunst, Bonn 2018 – S. 60; - / SZ Photo, Brigitte Hellgoth, Berlin, © Niki Charitable Art Foundation, VG Bild-Kunst, Bonn 2018 – S. 90; - / Andy Warhol, Private Collection, Christie's Images, © 2018 The Andy Warhol Foundation for the Visual Arts, Inc., Licensed by Artists Rights Society (ARS), New York – S. 95, 97 (2), 102, 112

dpa Picture-Alliance / akg-images, Frankfurt – S. 39, 65, 108; - / akg-images / Andre Held – S. 48; - / DB Sotheby's New York – S. 108, 109; - / dpa-Report, Rolf Vennenbernd – S. 36; - / empics-Carl Court – S. 79; - / Keystone, epa Keystone Kefalas – S. 91; - / Louisiana Museum of Modern Art – S. 91; - / United Archives, Raimund Franken – S. 37, 38; - / Westend61, Leander Baerenz – S. 68

Fotolia / by-studio – S. 52; - / Dozey – S. 68; - / HB Naturfotografie – S. 52; - / Leonid Ikan – S. 52; - / Ipictures / © Niki Charitable Art Foundation / VG Bild-Kunst, Bonn 2018 – S. 89; - / Nataliya Kashina – S. 34; - / kirill_makarov – S. 46; - / kovalenko I – S. 46; - / lekcets – S. 19 (2); - / nilanewsom – S. 50; - / Photographee.eu – S. 32; - / taddle – S. 20 (2), 110; - / xtravaganT – S. 34

Getty Images / Archive Photos, Jack Mitchell, München – S. 99; - / Education Images, UIG – S. 30; - / Getty Images News, Peter Macdiarmid, Staff – S. 80; - / Dorling Kindersley – S. 37, 38, 112; - / The LIFE Picture Collection, Gjon Mili, © Succession Picasso / VG Bild-Kunst, Bonn 2018 – S. 69; Getty Images Plus / iStockphoto, koya79 – S. 46

© 2017 Hundertwasser Archiv, Wien – S. 29, 31

iStockphoto / strickke – S. 30

Foto-Studio Kirsch, Wittenberg – S. 31; 123RF / Rafal Kulik – S. 65

LAIF / © Christo: Wrapped Automobile Volvo, Photo: Wolfgang Volz – S. 84; - / © Christo and Jeanne-Claude: The Floating Piers, Project for Lake Iseo, Italy 2014-2016, Photo: Wolfgang Volz – S. 86 (2); - / © Christo and Jeanne-Claude: The Pont Neuf Wrapped, Paris 1975-85, Photo: Wolfgang Volz – S. 84; - / © Christo and Jeanne-Claude: Wrapped Reichstag, Berlin 1971-95, Germany, Photo: Wolfgang Volz, Köln – S. 83, 85 (3); - / © Christo and Jeanne-Claude: Wrapped Trees, Foundation Beyeler and Berower Park, Riehen, Switzerland 1997-98, Photo: Wolfgang Volz – S. 84;

Claudia Lutz, Alzenau – S. 14 (5), 17, 18 (2), 19 (3), 20, 21 (2), 22 (4), 23 (4), 27, 30, 32, 40 (5), 57 (5), 58 (4), 70 (3), 71 (2), 72, 73 (3), 77 (5), 78, 80 (3), 94, 100 (5), 101 (4), 108, 109 (2), 110 (3), 111 (5), 112 (11, 14, 15), 113 (17, 20, 23, 24, 25)

Mauritius Images / Alamy Stock Photo, Archivart – S. 109; - / Alamy Stock Photo, Art Collection 2 – S. 103, 105 (2); - / Alamy Stock Photo, classicpaintings– S. 104; - / Alamy Stock Photo, Paul Fearn – S. 96; - / Alamy Stock Photo, Maurice Savage, © VG Bild-Kunst, Bonn 2018 – S. 88 (2); - / Alamy Stock Photo, Zoonar GmbH, © Niki Charitable Art Foundation, VG Bild-Kunst, Bonn 2018 – S. 92; - / SuperStock – S. 68; - / SuperStock, Fine Art Images – S. 64, 106, 109

© Österreich Werbung – S. 36

© Martin Roller, Berlin – S. 16

© Slinkachu – S. 25, 26 (2)

ullstein bild, Berlin – S. 109; - / CARO, Frank Sorge, © Niki Charitable Art Foundation, VG Bild-Kunst, Bonn 2018 – S. 34; - / Granger, NYC – S. 111; - / Imagno – S. 63, 106; - / JOKER, Hartwig Lohmeyer – S. 92; - / Liszt Collection – S. 111; - / Mohr – S. 30; - / National Portrait Gallery, Smithsonian Instutition, Art Resource, New York, Hans Namuth, © Pollock-Krasner Foundation, VG Bild-Kunst, Bonn 2018 – S. 54; - / Schöning – S. 36

Unilever, Brasilien – S. 76

Volkswagen AG, Wolfsburg – S. 76

www.wikimedia.org / Gorodilova, © Niki Charitable Art Foundation, VG Bild-Kunst, Bonn 2018 – S. 91; www.wikimedia.org / Nadar / CC01.0 – S. 48 www.wikimedia.org / www.avda-foto.de, CC BY-SA 3.0 – S. 85

Zoo Zürich AG, Zürich – S. 75